真愛非常頑強

吳淡如

目錄

卷首語

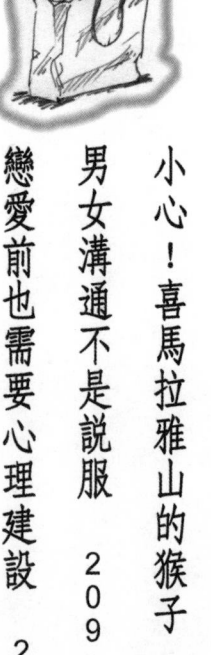

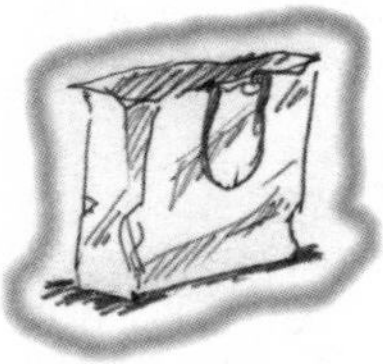

卷尾語

因熱情而困惑，總比失去熱情好很多。
但如果有熱情的人同時都能擁有智慧，懂得愛情以互惠為原則，這個世界上的情感關係將會更快樂。

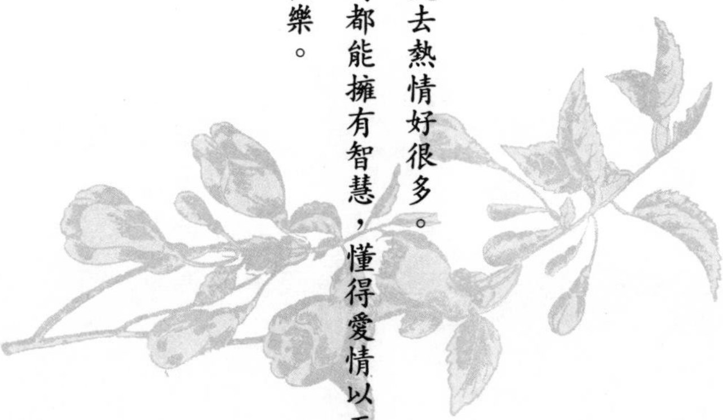

巴黎豪華之旅心理測驗班

——代序

閉上眼睛三十秒，深呼吸三口氣，然後以直覺回答下列問題：

A、假設你好不容易存夠了錢到巴黎自助旅行。第一天，你打算到最著名的艾菲爾鐵塔去，你身上只有一百法郎，卻發現艾菲爾鐵塔被勢利的法國人分爲三層收費，最低一層需十法郎，中間一層五十法郎，最高層收一百法郎（錢花得越多，你吃飯的錢越少，一百法郎全花完的話，你的午餐只有喝開水！）你會登上哪一層？

1.十法郎那層？

2.五十法郎那層？

3. 一百法郎那層？

B、接著，你來到巴黎市郊的布隆尼森林，走進林蔭大道，抬頭一看，你頭頂的樹林是：

1. 林相稀疏、充滿陽光的樹林
2. 樹蔭濃密的樹林

C、來到法國最著名的藝術博物館——羅浮宮，正在觀賞名畫時，忽然看見通道上有個金光閃閃的東西，而此時四顧無人，你會不會撿起那個東西放在口袋裡？

1. 會？
2. 不會？

D、到龐畢度中心喝杯露天咖啡吧！一臉微笑的侍者走過來，推薦你喝一種你從沒喝過的飲料，並拿出三種杯子讓你選擇，你選：

1. 水晶杯
2. 木杯
3. 紙杯

E、你有了豔遇！忽然有一名性感的法國俊男美女（隨你海闊天空的想像他的長相）請你和他拍張照片留念，請問你要站在他（或她）的右邊或左邊？

（這個問題很清楚，沒有方向感或聽覺智商不夠者請勿回答。）

F、這位俊男美女開口邀請你到他家共進晚餐，你想像中他家是什麼樣子？

1.鄉間小木屋

2.別墅

3.城堡

G、飯後，他（或她）的母親忽然出現了，請你形容一下他母親的德性？是慈祥和藹還是脾氣古怪？

做完這七道問題的話，請看答案：

問題A：代表你人生的奮鬥精神

1.只花十法郎——志願不大、膽子很小的愛吃鬼。

2.花五十法郎——穩紮穩打，追求安全感。

3.花一百法郎——好勇鬥狠，暢快人生。

問題B：表示你對現況的滿意程度

1. 看見充滿陽光樹林的人，是樂觀派，對目前生活很滿意。

2. 人生茫茫，期待自己的現況能有很大的改變。

問題C：你的戀愛會憑一見鍾情開始嗎？會撿的人容易憑一股衝動，以生物性的本能談戀愛（當然他們也比較敢談戀愛）。

問題D：你選的杯子代表你所喜歡的對象

1. 水晶杯——最會被俊男美女迷惑，重視外表的人。

2. 木杯——渴望天長地久，因而尋求「實用」的對象。

3. 紙杯——情人用過即丟的人，以及有人愛就不嫌棄的人。

問題E：站右邊的人在婚姻及愛情中支配慾強，站在左邊的人娶雞隨雞、嫁狗隨狗。

問題F：你所希望的另一半之物質條件

1.小木屋——只要愛情不要麵包型。

2.別墅——希望他可以使自己活得更好。

3.城堡——希望對方可使自己省二十年努力，千萬別騙自己愛情比麵包重要。

問題G：你對對方母親的描繪，代表你對婚姻（兩家族結合）的恐懼

1.和藹——認爲婚姻會使自己人生美好。

2.古怪——對婚姻有很大的恐懼，害怕得不償失。

編者按：對作者的趣味心理測驗有興趣者，可以參考吳淡如著《認真玩個愛情遊戲》《人生以快樂為目的》二書。

情人攻防戰

眞正的愛情，要用眞正的自我來談。
自我的缺點要靠時間與自覺逐步修正，不是遮蓋起來就沒事。
不管愛得如何轟轟烈烈，在戀愛階段，觀察及等待是必須的。

有一種人像跳蚤，
踩過之處到處是傷兵敗將，
但他們實在沒辦法戒掉跳躍的習慣。

情人節應不應該向他索取「華而不實」的禮物？這倒是不少名花有主的女孩躊躇的問題。玫瑰花一朵一百多，情人節「專用」巧克力每盒動輒一、兩千元，情人餐貴得讓人提心弔膽。花了錢很叫人心痛，但若沒有上述繁文縟節，又顯得心有未甘，辜負佳節。

通常，女人在「死會」前和「死會」後，對華而不實的禮物有截然不同的反應。愛情還沒很Go Steady前，對方在情人節送來昂貴的玫瑰花或巧克力，她們多會以感動得半死的虛榮表情，接受周邊友人免費奉送的讚嘆，越多人説：「好貴哦，他眞捨得。」她就越志得意滿。但萬一戀情已淪入「老夫老妻」，甚至雙方經濟需互通有無時，女人的反應便有一百八十度的轉變，她們會面有慍色的給愛人冷水潑，「要死啦，你這麼有錢不會折現給我？」

可是，著有《愛情教戰必勝守則》的美國暢銷書女作家Fein & Schneider提醒：妳，還是得捨得讓他送華而不實的禮物。若他開始捨不得送這些「奢侈品」而改送「實用品」，那很可能表示熱愛已經不再，愛情已亮起紅燈。她們說：「請不要誤會我們是要妳把男人當凱子，但如果男人眞想要娶妳，不會送烤麵包機和咖啡壺。問題不在於禮物的貴重，而在於其類型……從『腦』而來，而非從『心』而來的禮物，根本不適合表達愛情。」像烤麵包機這樣的禮物，雖然實用，却是來自大腦運作下的禮物。她們又警告道：「如果妳嫁給一個在情人節送手提箱而非手鍊的男人，那麼妳這輩子就注定要過實際、無愛的生活，婚姻中是不會有浪漫存在的。」

當然，不是每個男人都知道妳要什麼，如果眞怕情人忘記，妳一定得提醒，以免因沒收到禮物又吵了一架。

♬

收完情人節禮物的女人通常會答應和男人吃情人餐。不可否認，有不少女人的愛情是在情人節的禮品戰催促下漸漸萌芽的。不管是男方或女方主動邀吃情人餐，情人餐多半在浪漫的西式餐廳舉行，如果妳和他還不是那麼熟稔，還未決定是否非他當情人莫屬，這頓飯進行中可別忘記心理學家Steven Carter和Julia Sokol提出的「一頓飯定終身理論」——「很多女人從對方說的話來了解他，卻忽略了最重要的資訊可不是由語言傳達的，從他的用餐舉動中，妳可以把他看得更清楚。」別只聽他的情話，從他吃情人餐的「嘴臉」，可以推出他往後十年的行爲模式。據她們研究，有以下行爲的男人，可能不是好男人：

1. 任何善於跟女侍調情的男人。（將來必是花心大蘿蔔）
2. 任何遲到十分鐘以上的男人。（重要節日遲到，表示不把妳放在眼裡）
3. 根本不打算付全部餐費的男人。（標準小氣鬼！）
4. 約妳吃晚餐，卻沒錢付帳的男人。（絕對會讓妳倒楣，只想揩妳油的賴皮鬼）
5. 改變桌次及菜單超過一次以上的男人。（意志不堅，難成大事，愛

情也不會堅定）

6.任何圍餐巾像圍兜的男人。（有戀母情結，他會把妳當「第二母親」）

7.任何對侍者不客氣的男人。（可能有暴力傾向）

8.任何一個把番茄醬弄到頭髮上的男人。（他很喜歡妳，沒錯，但他常會因不成熟而惹禍）

9.任何一個想操縱妳吃什麼的男人。（控制慾甚強的古董男人）

10.任何一個眼睛只盯著他的食物的男人。（他對食物比對妳感興趣）

11.任何一個不願意談論自己的男人。（家庭中必有難以解決的重大陰影，難以託付終身）

在《認眞玩個愛情遊戲》一書中，我曾列舉過這兩位心理學家的論點，因爲我覺得它很有趣，在這兒再加申論一番。

原來吃情人餐是可以有這麼大學問的。

吃情人餐之後，情人們常因而莫名其妙的進了情人賓館，這好像也變成佳節慶祝程序的一部分。日本女性雜誌曾稱「情人節」爲「處女失身日」——當整個城市洋溢在情人節的氣氛之下，女人們對愛情也缺乏抵抗力，喪失了說不的勇氣。這個現象據說歷年來在台北也一樣發生，情人節當晚，賓館生意好得不得了，無論如何，還是建議妳「預防重於治療」，若不願開口說不，還是要有勇氣請他到便利超商買保險套，否則染上這種「情人節後遺症」，眞的在這一夜定了終身命運，問題可就大了。

據說情人節、中秋節時，便利商店的保險套銷量是平常四倍。這不是壞現象，至少表示現代人已學會以防萬一。

如果你想邀請的是別人的情人呢？這個問題看似無解，但若你臉皮夠厚，可以學電影「單身貴族」中男主角的賴皮方法。他打電話給他垂涎的美女：「嘿，要一起吃晚飯嗎？……喔，太忙啦？嗯……那午飯呢？已經有約啦？那——一起喝咖啡好嗎……不行呀？喝杯水如何？不然，我可以到妳跟別人吃飯的餐廳，等妳吃完後，我們一起喝杯水。」

萬一連這種「打破砂鍋求到底」的方式都受到拒絕，你還可以很「惡質」的馬上變臉踐起來：

「哦，我還以爲妳沒人約，本來想在情人節同情妳一下，現在倒省事了，再見，我去做別的冬令救濟工作！」

♬

情人節未必重要，重要的是當情人時有沒有睜開兩眼觀察他。

很多人在婚前兩眼全閉，婚後才兩眼全睜。

在戀愛時，爲了各式各樣的理由，我們僞裝了自己，成了「變色龍」：有的是好不容易談了戀愛，希望洗心革面，所以企圖「判若兩人」的對待情人；有的人實在是因爲太喜歡你，所以不忍心讓你見識到他的眞實性格——這一類善意的僞裝，往往造成「惡意」的欺騙。

不久前我看到一個社會新聞：有強盜前科、曾被判刑八年的三十歲男子，使用迷藥迷昏與他共餐的女人後奪走提款卡到銀行提款，因他戴著安全帽、口罩，形跡可疑，被警方意外逮捕。他新婚不到三個月的妻子在警察局暗自飲泣。因爲她根本不曉得「良人」曾犯強盜罪，更不知道她枕邊人晚上的「工作」就是和女子進餐，然後將她們迷昏。

還有另外一個楚楚動人的案例，是一位皮膚科醫生提供的：有一位孕婦煮水燒傷了手，傷得十分嚴重，他只好告訴她先生：你太太的手必須切除。想來想去，再怎麼神經遲鈍，一個女人都不可能把手放在沸水裡那麼久，於是他問那位準媽媽：「妳是不是有癲癇的毛病？」

準媽媽含淚點頭，她的先生則在一旁如遭雷殛：「我……我怎麼不知道？」

另外一個小故事比較「溫馨」一點，我的朋友嫁給大她十五歲的上司，一年之後某一天，她比平常早下班，打開浴室的門時，發現了一個滿頭銀髮的陌生人，她立即尖叫，衝出去求救，在樓梯間時給一個熟悉的聲音喚住：「喂，妳幹嘛大吼大叫？」她定睛一看，看見自己的先生——天哪，原來她先生竟然有滿頭的銀髮！她竟然不知道自己老公的頭髮是染的。

有時我們沒有僞裝自己，但却僞裝了別人。在急著把自己嫁掉或娶個老婆好過年的心態下，我們不自覺地美化了對方的行爲。明明對方有黑社會的浪子習氣，妳却認爲他很有正義感；明明她情緒不穩、歇斯底里，你却一味告訴自己，她是多愁善感的浪漫女子。一念之差，天壤之別。

僞裝自己，欺騙別人；僞裝別人，欺騙自己，一樣打不過眞實人生，徒然叫人由愛生恨而已。不是他欺騙你，是你欺騙自己。

♬

女人有時會騙自己：我只要愛情，不要麵包。

我有個女友，第二次婚姻又失敗了。結婚容易離婚難，可笑的是，這一代男女婚姻路走到盡頭，難了的並不是情仇愛恨，而是錢財難解難分。

男方撂下一句話：「妳要走人可以，孩子、房子留下來！如果妳要孩子，那麼就把妳的存摺留下來！」

她咬牙切齒的說：「他是個自私自利的小氣鬼！結婚之後，從來沒有給過我家用錢，吃飯買菜，每一分錢都是我出的；連跟他父母上餐廳吃飯，他也推說口袋沒錢，我給他一千塊，找了兩百五，他臉不紅氣不喘的放進自己的口袋裡，這種事屢見不鮮。孩子從呱呱落地到現在都兩歲了，他沒出過一毛奶粉錢……我早就知道，他是隻鐵公雞！」

「爲什麼妳早知道他是隻鐵公雞，還要嫁他？」我不解的問這個在事業上令人嘖嘖稱奇、但感情生活一塌糊塗的女人。

「婚前，我過生日或情人節時，他總是很誠懇的請我吃魯肉飯，那個時候我覺得好浪漫。出社會後從來就沒吃過路邊攤，覺得那眞是一種別出心裁的追求方式，讓我回味起貧窮却甘甜的兒時，但婚後我才發現，只要是他請客，只能在路邊攤吃魯肉飯……」

說到辛酸處，她又笑又哭。她的第一次婚姻，是因長年失業的丈夫不滿她薪水及職位較高，處處找碴，因而分手。第二次婚姻破碎的理由，異曲同工，還是爲了錢。

「其實，我覺得我是個不重視金錢的人——怎麼會這樣呢？」她無語問天。

女人總在瘋狂投入愛情時，說自己只要愛情不愛麵包（男人在求偶階段也常以各種手段試探，女人是否重麵包勝於重愛情）。但越偏執於「我什麼都不要，只要你（或只要嫁給你）」的女人，越會發現，現實是一記響辣辣的巴掌。

就我觀察，「口不言阿堵物」的人，常是最愛錢而愛不到的人。若眞不愛錢，只愛浪漫，請告訴自己：「吾道一以貫之！」別讓「因果循環」的巴掌湊上妳幸福的臉龐。

眞正的愛情，要用眞正的自我來談。

自我的缺點要靠時間與自覺逐步修正，不是遮蓋起來就沒事。

不管愛得如何轟轟烈烈，在戀愛階段，觀察及等待是必須的。

♬

不然，在結婚前，可以用一次出國旅行來爲婚姻把關。

我贊成婚前先度蜜月，因爲眞正的性格必須從朝朝暮暮的相處和與他互助合作的過程中才看得出來。

也有一個女人，在度蜜月時才發現她的先生犯有氣喘的毛病。他們雖是朋友介紹結婚，但交往期間也經過了三個月，但她對他的毛病竟毫不知情。這一蜜月當然沒有什麼甜蜜可言，還花了大把銀子泡醫院。而她在扮演賢妻照顧良人之餘，埋怨的並不是「都是你害我玩不成」，而是「爲什麼你有這個毛病卻不早告訴我？」

她想的是大半輩子的問題，不是眼前虧。

但丈夫一直對她解釋：「我從來沒這樣過……我眞的不知道我這個毛

病這麼嚴重，可能是太累了……」後來，她查詢他的家人，他的家人說，他剛上小學時曾有類似症狀，曾接受治療，此後由於一直沒再犯過，所以每個人都以爲他完全好了。誰想到在緊湊的訂婚、結婚、婚筵，緊接著出國度蜜月之後又復發呢？她在咕噥自己運氣不好之餘，直嘆道：「早知道應該先去度蜜月試試看——」

這當然是個常人不會發生的例子。但在現代婚姻中，蜜月倒是一帖試驗劑。上頭所說的這位新郎其實也値得同情，婚禮的繁文縟節必須綜合小倆口背後兩大家族的共識，使他忙得不可開交，加上此人從沒出過國，一出國當然緊張得不得了，在一連串疲倦後，原本渴望蜜月成爲休息，却只使他疲憊與緊張乘以二。他運氣也不好，一結婚就給新娘「上當」的感覺，以後少不了要努力解除這一層婚姻陰影。

日本很流行「成田機場離婚症候群」，就是蜜月惹的禍！日本女孩年紀輕輕即遊歷四方，而男人通常年紀輕輕就在爲前途奮戰，不識出國滋味。

兩人歷經婚禮的磨練之後，新娘往往以爲逃出成田機場即海濶天空任逍遙，沒想到這才發現身旁的男子漢沒出過國，看到洋人張口結舌，一出國門變得非常低能，出門一問三不知，又獨裁頑固，實在太讓人生氣，一回到成田機場之後，趕快說莎喲娜啦算了！

其實先蜜月、再結婚倒是個好點子。在兩人休戚與共相處二十四小時的過程中，可以觀察很多平日戴面具交往所看不到的芝麻小事，而這些芝麻小事卻常影響終身大事。比如：彼此的金錢觀、依賴性、是否自私自利？可是個獨裁者？如何處理突發狀況？是否歇斯底里？人生樂趣是否有天壤之別？兩人如何溝通差異性？度一個星期的蜜月，是很好的婚姻先修課，很多事不必等到婚後再來後悔！這小小的「試婚」，至少不會造成婚前婚後對婚姻幻想的大落差。

未必是男人的錯

女人什麼時候會懂——看得起女人，等於看得起自己。

妳過得不好，做牛做馬沒有回報，未必是男人的錯，有時根本是妳看不起自己。

我有一位加拿大朋友，娶了個中國老婆，剛生了個寶寶。他喜氣洋洋的告訴我這個消息後，我向他道了恭喜，然後問他：「是男孩還是女孩？」

「男孩，」一向頑皮的他說，「雖然我一直希望是個女孩子，比較會黏我……」

「哦。」我微笑轉入其他問題。過了一會兒，他吐吐舌頭對我說：「妳知道嗎，照我觀察的結果，妳是第一個在聽到我生男孩後沒有說第二聲恭喜的中國女人。」

「第二聲恭喜？」

「她們聽到我剛有了寶寶，先說一聲恭喜，接著問是男是女？我說是男孩，她們會很快樂的說第二聲恭喜。我看你們中國人，到現代還是重男輕女。」

他是個學社會學的法裔年輕出版家，素來喜歡做東西方人性的比較研究。這個趣味性的觀察頗發人深省，沒錯，我們在聽到別人生了男孩時常會由衷的發出「第二聲恭喜」，「打從心裡爲他感到高興」。如果是女孩呢？我們當然也爲他們感到高興，但語氣可就有點牽強：「啊，生女孩也很不錯，女孩比較貼心。」（這還是懂得安慰的人）或者：「沒關係，你們還可以繼續奮鬥。先生女再生男，就是一百分。」（爲什麼一百分？因爲女孩會照顧弟弟……）

現在的女人積極爭「同工同酬」「男女平等」，可是打從骨子裡的重男輕女，似乎還「入木三分」。我們周遭仍不自覺地充斥著重男輕女的氣氛。吃完喜筵，不少女人在拿送客糖時會說：「吃甜甜，生後生。」丈夫有外遇的女人還會自怨自艾：「因爲我沒生兒子……」第一胎就生兒子的總會開心的笑道：「我的責任了了！」我也會在辦公室聽到與我同年齡的女子說：「男人嘛，家裡有個兒子比較不會到外頭亂來。」女職員憎恨女上司，女上司歧視女屬下。做母親的振振有辭說：「當女人吃虧。」故不願生女。年輕女孩還會問：「我和他在婚前有性行爲，他如果不娶我，我不是很吃虧？」兩人同意做一樣的事，妳却覺得妳吃虧，基本上也還屬於重男輕女。

妳眞的不重男輕女嗎？如果不，請避免釀造這樣的氛圍。我總想起一位美國女作家說的話：「請不要責怪男人踐踏我們，最重要的是，不要自己躺在男人脚下。」

請留心妳的第二聲恭喜吧！

如果女人的腦子裡還如此的重男輕女，那麼，她就沒有權利要求男人重視自己。

有個遠親，有如下的經歷：她嫁給一個「單傳」的丈夫——婆婆生了七個女兒後，才生下一個兒子，這個兒子娶了她之後，兩個人生了三個女兒，一家六口在「無後爲大」陰影下苦臉相對，後來婆婆祈神求佛，神明說要先生每天早起來往東西南北各拜三拜，先生照做，如是拜了數千拜，終於生出了一個兒子來（是巧合還是天注定，無從得知）。在孩子哇哇落地的那一刹那，據說婆媳母子三人抱頭痛哭。

我知道這樣的例子在現代社會仍不勝枚舉。

一位婦產科醫生對我說，目前一些小診所還用子宮腔沖洗術幫孕婦判定男女。判定是男孩就生下來，是女孩就拿掉。但因此種沖洗術會造成胎兒畸型，有不少期待「一舉得男」的家庭，就得到了一個殘障的男孩。

這種方式比大陸上的殺女嬰陋俗好不了多少。可憐的男孩子，竟然得終身承受父母「重男輕女」的後遺症。

女主管憎恨年輕的女屬下也是一個由引申而來的問題。我讀過一篇由一位女作家（或醫師？）申力雯寫的文章，描述四十歲的女人：「我在各種筆會、研討會、茶話會、舞會……中，接觸了許多四十歲的女性，她們頑強地想成爲一個中心。可以看到聽到她們獨霸言場喋喋不休的高聲尖語，揚起一波又一波帶著顫動的笑聲……有一個事實不容忽視，那就是對年輕女性固執地排斥與絕不寬容的挑剔，展現一幅又一幅人與自然抗爭、無奈與悲哀的全景圖。」

她說出了某些女性進入中年的悲哀。是的，我也看過一些這樣的女子：她們很成功，但不容許別的女人和她們一樣成功，尤其是比她年輕貌美的女人。

很早以前就有人說：踐踏女人的其實是女人。在現代社會中，你還是可以驗證這句話。

這才是女人眞正的悲劇。

女人什麼時候會懂——看得起女人，等於看得起自己。

妳過得不好，做牛做馬沒有回報，未必是男人的錯，有時根本是妳看不起自己。

成長

當一個女人不害怕失去一個男人，愛才真正長大。

當一個人不害怕一個人，他才真正自由。愛未必要占有；孤獨未必要寂寞。

逆耳的未必是忠言

有些人的愛情是殲滅戰，
非把你整隻吞進肚子裡才甘心，
但他們又容易餓……

人心因批評而脆弱，因爲讚美而堅強。
可是，人的嘴巴，卻往往有劣根性，不喜歡說
好話，只喜歡傳一些有傷大雅的蜚短流長。

「妳不要一聽到那個三姑六婆怎麼說，就來對我嚴刑逼供好不好！」

從結婚的第一天起，月梅耳邊的「流言」就不斷，正淵忍無可忍，終於發起脾氣來。他吼得震天價響，也把月梅唬得臉色發白，淚水在眼眶裡打轉。

正淵從來沒有這麼兇過呀！他，難道眞的變了？

「你幹嘛？惱羞成怒？」月梅也橫眉豎目、不甘示弱的加大了聲量：「妳這是無理取鬧嘛，要栽贓，也要先拿出證據。」

「若要人不知，除非己莫爲！江宗紫做人正派，不會說謊！」

「江宗紫說的！」月梅以凌厲的眼光逼視著丈夫，正淵忽而覺得，多年的婚姻生活已把自己變成一頭困獸，動不動就會踩到自己老婆和那些「三姑六婆」們所佈下的陷阱。「她說你跟×報那個叫小翠的新進記者，每天在立法院成雙入對！」

「我是前輩，人家剛跑這條線，請我多多指教，我幫人家忙也有錯？」

「她說有人看見你們每天都一起吃午飯！」

「喂，爲了避嫌，還有怕妳們這些三姑六婆亂說話，每次吃中飯我們都是一大群人吔，江宗紫告訴妳我們兩個人一起吃中飯，然後上賓館嗎？她的想像力未免太豐富了！有這麼好的想像力，怎麼不去寫小說！」

月梅正在氣頭上，逼供不成，反給自己的丈夫戴上「三姑六婆」的罪名，氣得不得了，聽到「上賓館」這幾個字，更是不分青紅皀白的爲正淵加一重罪名：

「哼，你招供了吧，原來你跟她眞有一手，你不小心說出來了，對不對？」

「妳……」

很多爭吵就是在不斷的「撿話尾」，見獵心喜的爲對方冠罪名之下，越演越烈。一碰面，新仇舊恨就如江水滔滔，兩人的互相攻擊之詞也口若懸河，没多久，正淵眞的賭氣起來，常常數日不歸。過不了一年，正淵和月梅這一對新聞界的「金童玉女」，在兩敗俱傷下忿忿以離婚終結。

「妳看，」江宗紫一邊安慰自嘆命薄的月梅，一邊提高了聲量，說：「從你們一結婚，我就跟妳說，嫁這麼帥的老公靠不住，妳就不信……」「我一直在提醒妳，妳都不擔心妳老公呀，妳就是不聽我的話，等到事情發生，已經來不及了！」

月梅覺得好無依無靠，只得緊緊抓住十年好友江宗紫的手，「……男人靠不住，只有妳是我永遠的朋友……」

離婚後，正淵把房子讓給了月梅，自己只得出去租房子。這天早上九點多，他被門鈴聲吵醒，開門一看，正是江宗紫，白白胖胖的她穿了一身網球裝，笑咪咪的看著正淵：

「正淵，我剛在你們附近打網球，打得汗淋淋的，借個浴室洗澡如何？你不會那麼小氣吧！」

睡眼惺忪的正淵愣了一晌，想問：「妳……妳怎麼知道我住這裡？」時，江宗紫已大搖大擺的踏進了浴室。正淵心裡不覺又浮出無名火，「該死的月梅，還叫這個三姑六婆來打探我這裡有沒有女人，眞是可笑！婚都離了，她還想幹什麼！」

他暗暗慶幸，還好離了婚，否則老婆和她的朋友就會像ＣＩＡ的爪牙，無孔不入！

趁江宗紫還在嘩嘩水聲中沐浴，他趕緊換好衣服，正盤算待會兒告訴她，他急著出去，免得江宗紫又想坐下來和他「聊天」，問東問西，到他前妻那兒討賞。

「喂！」他往浴室裡大吼：「我出去了，妳走後幫我把門隨手帶上就好！」

他想，脫身要緊，妳要怎麼仔細搜屋，隨便。

沒想到，就在他低頭穿鞋子時，有個柔軟而潮溼的東西貼緊他的背。正淵冷不防一回頭，看到一個只以薄毛巾掩著重要部位的女人。她，正以意亂情迷的眼神看著他……

「恭喜你離了婚……」這個被他稱爲「三姑六婆」的女人溫柔的說：「我們來慶祝一下，好不好？」

♬

我記得馬克吐溫說過，現實中發生的事常常比小說更令人難以置信。因爲寫小說必須按照一定的「推理與邏輯」進行，而現實往往天馬行空，峯迴路轉的速度令人咋舌。

正淵的故事就是我聽過的一個最離譜的故事。當他眞誠的告訴我江宗紫小姐令人吃驚的作爲後，我還以「無論怎麼也不相信」的眼睛打量這個男子，看他是否在說謊，因爲：

在我的眼中，我所認識的「江宗紫」，一直是一個嫉惡如仇、滿口仁義道德、端莊淳樸的那種女子。雖然，她太關心別人的私生活。她年近四十，已婚，有三個小孩，看來家庭美滿，何必破壞正淵和月梅的婚姻呢？

人眞的不可貌相。

不過，正淵一直沒有把這件事告訴月梅。他想，Let it be，算了！江宗紫雖然是他們婚姻完蛋的導火線，但卻是月梅至今最信任的好友呀！月梅已經失去了婚姻，他還忍心叫她再斷送一個「永遠的朋友」嗎？神經脆弱的月梅，恐怕受不了這個打擊！

♬

忠言逆耳，是吧？

但如果你把所有讓耳朵覺得不舒服的話，都當成「忠言」，那人生中的挫折感恐怕會多如蒼蠅，而善於採納「忠告」，在中古時代或許可以當良相或良君的你，到了人際溝通非常複雜的現代，很可能只淪爲一張捕蠅紙，終日總有嗡嗡嗡的聲音靠近你，徒增困擾而已。

人心因批評而脆弱，因爲讚美而堅強。

可是，人的嘴巴，卻往往有劣根性，不喜歡說好話，只喜歡傳一些有傷大雅的蜚短流長。

一個上班族新鮮人，在興沖沖做完一個企劃案，呈送所有同仁過目後，可能在第二天聽到自己的「良友」這麼說：

「喂，有件事不知該不該告訴你？」

「什麼事？」（情緒上已經很提心弔膽）

「那個老處女，坐你前排的那一個，在背地裡說你寫的企劃案一竅不通……」

「哦……」（一般人聞此言，都會如遭五雷轟頂）

「我實在替你打抱不平，哼，她寫的又好到哪裡去？」以打小報告來增加「同仇敵愾」感的「良友」，總會十分義憤塡膺的接下去，「我就跟她說，你是個新人嘛，能做這樣已經很不錯了……」

此時聽話的人，只能勉強擠出一個難看的笑容，以回應這個熱心打小報告者表面上「褒」，實質上「貶」的「貼心話」。

就讓我們把這件事解剖解剖吧！「老處女」雖然批評了這位新鮮人的

企劃案，並沒有在他面前說，只是在打小報告者不懷好意的詢問：「喂，妳認爲他寫的報告是不是太嫩了？」的導火線下，說出自己的眞實意見而已。打小報告者快樂的接受這些負面資訊，再迅速的將它傳播給當事者。好了，這下子，這個菜鳥就對「老處女」恨之入骨，他會感覺，這個社會眞是冷酷無情，對初出茅廬的自己眞是殘忍。

不過，就事論事，他應該討厭的人，並不是那位無辜的老處女同事，而是打小報告者。

這樣的例子在生活中屢見不鮮。學生阿甲會聽到死黨阿乙說：「那個阿丙在背後說你很驕傲（或自以爲很美，或靠拍老師馬屁才當上班長）……」還有，家庭主婦阿美會聽到隔壁長舌婦阿花拳拳忠謹（就是假裝對你裝出忠心耿耿的樣子）的說：「妳家對面的阿菊說，妳老公每天看到她就色迷迷的，好像要流口水的樣子。」不然就是，「巷口的阿麗說，有一天她看到一個好像妳老公的人，跟一個年輕女孩子在忠孝東路散步！喂，妳老公還長得那一副娃娃臉，妳不擔心嗎？」

事實上，最嫉妒阿甲的絕非阿丙，而是阿乙。某一位著名的心理學家曾說過：「如果一個人會傳播別人不經意說出口的話給當事人聽，那表示他至少贊成了百分之八十。」

而阿美應該保持距離的，絕非阿麗，而是有街坊廣播站之稱的阿花。阿麗在沒有百分之百確定前，只敢捕風捉影、小小長舌一番，還不敢直接來破壞你們夫妻間的感情。但阿花小姐却很高明的以「因爲我關心妳的婚姻，所以才來通風報信」的嘴臉做到了。阿美若再天眞一些，可能還會一把鼻涕一把眼淚的感激阿花，然後一看見倒楣的老公，就不分青紅皀白的點燃火藥庫。這時，隔牆有耳，阿花可能正把耳朵貼在牆上，驗收她「忠耳逆耳」的成果呢！妳，徹底中計，還將她引爲知己！

我們的自信心都沒有自己想像的堅強，人們的愛情、婚姻亦然，批評與流言很像是小小的種籽，即使它們鑽進磐石的細縫中，有朝一日它們還是會成長茁壯，把堅固如磐石的東西弄得粉碎。

察納忠言，固然是應有的雅量，但不上道的忠言，還是不聽也罷！

什麼叫「不上道的忠言」呢？我將它歸類爲幾種：

一、說了你也改不了的事。（比如說你醜、矮、笨）

二、非常抽象的形容詞。（說你「好像很自大」「看起來自以爲有氣質」「妳老公可能外面有女人哦」……）

三、明知你是新手還故意打擊你。

比如說，某名主持人剛主持節目時，面對鏡頭相當緊張。有位朋友好心的給她忠告：「妳應該把粉底塗厚，不要害怕鏡頭……」她接受了，主持功力的確日漸改善，但她的朋友又熱心的看了幾集之後，告訴她：「妳有進步了，可是我看一定是你們的製作單位太爛，每集題目都擬得不好……哈哈，有件事告訴妳妳一定會生氣，當我叫我老公看妳主持的節目時，他說：製作單位當然很爛，不然不必找妳當主持人……喂，妳沒生氣吧？喂……」

你想，她會不生氣嗎？

沒有人天賦異稟，在當「菜鳥」時就可以讓每個人滿意。鼓勵、建議而不批評，才能使他有自信成長。千萬不要在老鷹剛鑽出蛋殼的那一刹那，批評牠不會飛。

四、沒有建設性的批評。如：「他說你一定成不了大器。」

過去，我常常遇到這一類的事，而且還因一時多言被流彈掃中，比如A問我：「妳對B的作品看法如何？」我以爲B不在，就可以暢所欲言（自古文人相輕，誰會認爲對手寫的東西是完美的呢？）結果，A把我的話全部告訴B，當然省略了我表示讚美的部分。後果如何，你一定猜到了，自此B看到我形同陌路，却以爲A是站在他那邊的。

所以，當我聽到下列發語詞：「有件事不知道該不該說……」「這件事我跟妳說妳可不要生氣……」時，我的腦袋裡就會響起警鐘，非常想當機立斷的砍下去：「那麼你就不要說！」逆耳的未必是忠言。

問你自己

到底男女之間有沒有真正的友情？

到底可不可能有精神上的柏拉圖式戀愛？

到底可不可以只愛而不受傷害？

「愛情專家」們常被問及這些愛情的「理論」性問題。是的，這些問題很難，因為沒有答案。它們總讓我想起一個小教士挑戰大師的故事。

小教士不相信大師無所不知，於是在手掌裡握著一隻鳥，問大師：「喂，告訴我這鳥是死是活？」

大師說死，他就讓它活；說活，他就把鳥捏死。一掌之間就可以製造兩個不同的答案。

大師只說：「問你自己。」

問你自己。

辯證理論無益。怎麼做，看你自己。

好女人製造男性生活低能症

妳爲什麼要以一個「犧牲品」而沾沾自喜？妳犧牲，可有人眞正受益？妳願意犧牲，那是妳心甘情願，有人受益且心存感激，那很好；若被當成過季商品或廉價品，可怪不了誰。

天下的好女人都是一樣的。她們常一手塑造了男性的生活低能症（別誤會，我說的可不是男「性生活低能症」）。

不只是傳統的中國好女人如此，文明國度的好女人也有異曲同工之妙，她們很有責任感的包辦了自己男人（包括老公和兒子）生活起居的一切所需，除了塡飽他們的肚子之外，還爲他們買外衣跟所有的內衣褲，決定他們在什麼場合該穿什麼衣服。她們旁邊的男人可以幸福到別人問他們穿幾號襯衫時，快樂又驕傲的說：「我不知道，我得問我媽（或太太）。」他們也可能不明白怎樣操作洗衣機和微波爐，儘管他們可能是堂堂理工學院的畢業生。

從某種程度而言，女人也因被需要而感到幸福，但完全因別人的需要而存在的角色，扮演久了很少不生怨懟。有個女友承認，她的家庭很幸福，婆婆很賢慧，丈夫很聰明，可是每天晚上睡覺前，面對一間「男人只要停留一個小時以上就亂七八糟」的客廳——喝完飲料的杯子永遠不收，臭襪子永遠擱在沙發上，外套襯衫永遠四處披掛，她還是忍不住因爲自己嫁了個「天之驕子」而發出無助的呻吟。她特別難以忍受丈夫理直氣壯的一再問她：「保險套妳又放到哪裡去？」

目前在美國熱門暢銷書排行榜上頗受歡迎的《心靈雞湯II》裡，就有一首天下好女人看了都會心有戚戚焉的詩，叫作「紅衣服」——是一個女兒以懇切平實的心情描寫母親臨終景況的詩。大意是，女兒在母親快嚥下最後一口氣時，替母親整理遺物，在母親清一色灰樸樸的衣服中，竟發現一件紅衣服，觸目的紅衣服像黑色山壁中的一道裂縫。而她從沒看過母親穿過紅衣服。奄奄一息的母親把她叫到身邊，告訴她：我一直教妳成爲好女人，但我想我錯了。當我看見妳的兄弟對他們的妻子說：「我媽都怎樣怎樣做」時，我的心裡很難過。我不過把妳爸爸和兄弟養成同樣的男人。妳爸爸，在聽說我得了絕症時，過來猛力的搖我，差點把我的魂都搖掉，他嘴裡咕咕噥噥的却是：「妳走後我怎麼辦？」他，想到的是自己而不是我。我知道我走後他的日子會很難過，他甚至不會煎荷包蛋，每天找不到他要穿的襯衫……

這位母親說，紅衣服是她十年前心血來潮買的奢侈品，拿回家她的丈夫卻笑她：「穿成那樣，妳要去看戲呀？」結果，除了在試衣間外，她沒有再穿它第二次。「我一生努力當好女人，但他們卻認爲我是眞的不需要任何好東西。」她的母親這樣嚥下最後一口氣。這樣的好女人很偉大，但她們的成就却常只是培養出患了生活低能症的男人。好女人，適可而止吧！在寵他們的同時，別忘了妳也可以享受。

♬

女人，妳有沒有熱烈的擠進「犧牲品」大拍賣的人潮中？

大凡口袋裡有點錢的女人，一看到「犧牲品」的特價專櫃，總會情不自禁的湊過去，摸摸撿撿或爭先恐後的搶……但是，妳對「犧牲品」的觀感如何？

沒錯，犧牲品通常是不受青睞的過季貨，可能是次級品、可能有瑕疵，以正常價格賣不出去，買回家穿了之後屢屢發現問題。買到犧牲品的人，一時會沾沾自喜，但多半都不覺得它值得寶貝珍惜。

那麼，妳爲什麼要以做一個「犧牲品」而沾沾自喜？在物質不豐盛、飽暖成問題的時代中，身爲母親，爲了丈夫、兒女的犧牲也許是有意義的，但在人人都有條件對自己好的現代，妳可不必把自己當犧牲品，只買兩百九的衣服，爲了讓公婆夫婿讚美「她眞是個賢慧的查某人」，無需把剩菜都掃進肚子裡，創造水桶腰，還讓兒子在作文簿上寫道：「我媽是垃圾桶，她什麼都吃。」然後，妳發現這些讓妳爲他們犧牲的人，只把妳當成不值錢的「犧牲品」，氣得七竅生煙，怨恨積了滿腹。

妳犧牲，可有人眞正受益？我觀察到，現代自認爲是「犧牲品」而非常不快樂的女人身旁，通常也有一群不受益反而受害的家人。從前我家鄰居，家庭收入每月十萬以上的家庭主婦，就曾對我訴苦：「我爲他們犧牲，他們都不知感激……看，我爲他們買他們喜歡吃的排骨便當，五十塊一個咧，我自己好苦，捨不得買一個，將就吃冰箱裡的剩菜。」據我所知，家庭經濟根本就在她的全盤掌握裡，我眞不知道，她這樣自苦是誰受益，恐怕她的家人連吃個排骨便當都戰戰兢兢。

犧牲似乎是女人的專利，女人的血脈裡常帶著這種「莫須有」的病菌；女孩從小就在文藝小說或電視劇的教導下，套上「只要遇到我愛的人，我的一輩子就要爲他犧牲」的枷鎖。妳願意犧牲，那是妳心甘情願，有人受益且心存感激，那很好；若被當成過季商品或廉價品，可怪不了誰。

你心「乾」情「怨」過一生？

有一種人像魚餌上的蚯蚓，
專門以痛苦換取愛情，
內心深處總覺得，
談戀愛要痛才會爽。

在婚姻關係中，吃得苦中苦，也未必有益。婚姻愛情，是越能「相見歡」越好，工作亦然。不然，我們什麼時候才能理直氣壯的輕鬆過日子？

女人有一種罪惡感的本能。

「順水推舟的結了婚，糊裡糊塗的失去了自由——以前高興和死黨聊到多晚就到多晚，現在好不容易和老友約出去吃頓晚飯，讓老公帶孩子吃麥當勞，不知怎地心裡就充滿罪惡感……」不少女人抱怨，婚姻使她們失去自由。家庭主婦和職業婦女皆然。

只要稍稍讓自己喘一口氣，罪惡感便乘虛而入。偶爾和朋友約吃晚飯暢快敍舊時，沒來由的想到家中幾口都在「嗷嗷待哺」；許久才買一件穿得上枱面的衣服，也因感覺自己糟蹋了數日家用而內疚不已。我也曾在回台灣的飛機上聽到隔壁的中年婦人如此感嘆：「出國開開眼界，好玩是好玩啦，可是想到孩子一連幾天都要吃外頭，心裡好難過，覺得好對不起他們。」結了婚的女人，常常動不動就有罪惡感，而這種罪惡感未必來自公婆、另一半或孩子，而是來自自己過分擴張的「責任感」——在婚姻中稍稍感到一點自由和快樂，就覺得自己沒有盡到責任，非得兢兢業業、夙夜匪懈、鞠躬盡瘁而後已。

責任感是有建設性的，但過度擴張的責任感也有破壞性。美國知名作家Erica Jong曾說：「罪惡感，是女人最大的敵人。」確實是至理名言。想百分之百盡到責任所產生的罪惡感，使已婚（甚至是才有男朋友）的女人誠惶誠恐，自動剝奪屬於自己的正當社交、娛樂的時間與機會，久而久之，婚姻當然成爲自由的墳墓。事實上，妳的另一半或家人未必因而享受到利益，反而因爲必須面對一張「失去自由，充滿煩躁」的苦瓜臉而備感壓力。

有一位朋友的母親，五十歲的退休女教師抱怨，她原想在退休後享受自由自在的生活，但公公和先生日日要她煮每日三餐，使她的生活更加不自由，但後來我發現，她的公公和先生、孩子也一樣在抱怨：「我以爲她退休之後可以放輕鬆點，自己學會怎麼過日子，可是她卻天天在家板著臉煮三餐，煮飯的技術沒有進步就算了，嘮叨還越來越多，我們的日子越來越難過……」好意協調，並無結果，因爲這位母親仍義正辭嚴的堅持，「我退休後没事做，如果每日不煮三餐來彌補從前當職業婦女時他們的損失，我會覺得有罪惡感。」同時，家人們也因有「責任」回家吃三餐，若與朋友有約，也免不了有「罪惡感」。

妳的責任感有没有建設性？妳的罪惡感是否只是無益的人生枷鎖？可千萬不要毫不理性的壯大了這個最大的敵人，讓它爲自己宣判無期徒刑，心「乾」又情「怨」的過一生。

♫

吃得苦中苦，方爲人上人。

這一句話，不知使多少人變成「苦頭陀」，不過，它可不是放諸四海皆準的。有些苦，還眞没建設性，徒然叫人活得心也乾、情也怨而已。

在工作上，肯吃苦，固然是步上通往成功的階梯，但眞正能成功的人，多半都已達到「雖苦猶樂」的境界，絕不會在矢勤矢勇時擺出一張線條下垂的臉。

現代的上班族，到底還有很多人每天擺苦瓜臉，連沒事看報紙時也裝得很苦，做再輕鬆的事也面有難色，在老闆面前尤其愛把自己弄得像一隻累個半死的狗，以求得「人上人」的位置。不裝得很苦，好像就不努力，他們看不起笑臉上班，開開心心做事，說「這個容易，我一下子就做好了」的人。偏偏老闆多半很吃苦瓜臉的那一套，因為他們不一定曉得員工的做事效率如何，只知道他很「努力」，想提拔中級主管時，常會想到「服務多年，沒出什麼差錯，雖然沒有功勞，倒也有苦勞」的人。

上班族們意識到這個好處，久而久之就加入「摸魚也裝苦臉，事越少越好」的族羣。再簡單的事也要用程序、手續或其他形式把它弄得很難，否則就會找麻煩。

表相的吃苦耐勞，對公司是無益的。在我當上班族時，就看過這種「朝九晚九」，但擔當的事比工讀生還少的人。

在婚姻關係中，吃得苦中苦，也未必有益。你有沒有發現，婚結得越久，相見時兩個人的臉越苦。就以「男主外、女主內」的傳統家庭來説吧：通常，男人在開車回家途中，嘴裡可能還隨收音機哼著歌曲，車一開進車庫裡，嘴角就不知不覺拉了下來，爲什麼？爲了要讓他的老婆覺得他很累，爲了養一家子，辛苦的工作，請老婆不要嚕嗦；原來聚精會神炒菜的妻子，聽到丈夫開門的聲音，也不自覺的拉下嘴角，爲什麼？她要讓丈夫覺得，她在家做牛做馬一整天，可沒閒著，苦得很呢。於是，婚姻釀成了一缸苦茶油。

這是一位學心理學的朋友所提供的，對他自家父母的觀察。「人一想到責任，就想到責怪。」他説。

婚姻愛情，是越能「相見歡」越好，工作亦然。不然，我們什麼時候才能理直氣壯的輕鬆過日子？

♬

有些人，則習慣以叫苦連天來獲益。

自覺或不自覺的做了感情的乞丐。

「最近我心臟好痛，氣都喘不過來，我想我大概活不久了，啊，人活到老，孤孤單單一身病，眞是沒路用——」我一位朋友的母親，每一個星期五下午都會打電話給女兒投訴病情。結果，她那以爲可以靠婚姻爭取離家自由的獨生女兒，每週六還是得從台北回到台中探望自己的母親。新婚初期，夫婿還樂於和她一起貢獻孝心，犧牲休閒生活，但久而久之，夫妻之間就因而起了衝突。她的丈夫抱怨：「每次回去，她的病就好了，我看她是裝的嘛！」

久之，女兒也知道母親是裝的，但她能對可憐兮兮的母親說不嗎？

在心理學上，這位母親演的戲叫作「poor me drama」（可憐人的乞憐戲）。不善於理性溝通的人們，用來操控別人以取得自己所需要的慣用方式有兩種：一種是積極命令式的，直接強迫別人屈從他；一種是消極乞憐式的，利用別人的同情心以爭取注意。這個時代裡，人人吃軟不吃硬，命令式通常會遭致反感，但「乞憐式」似乎還能達到相當效果。

「乞憐」在兩性愛情關係中也常被運用。校園戀情結束後，自覺受了委屈的女孩或男孩，常會特意讓自己變得非常憔悴，讓全班同學「同仇敵愾」，譴責那個「不知好歹」的人。家庭主婦煮好了晚餐之際，卻接到丈夫告知有事不能回家吃飯的電話，常常以「不等到你就不吃飯」來作消極抗議，爲的是讓丈夫回家愧疚萬分。男女朋友在吵架非常激烈時，其中居弱勢的一方有時會以頭撞牆，甚或拿出刀片來指著自己的手腕威脅，或在外頭下大雨之際還故意淋成落湯雞，這種「損己不利人」的犧牲方式，都是「可憐人的乞憐戲」，它和強迫別人屈從的方式其實有異曲同工的效果，爲的就是爭取注意及達成目的。前者是「強奪」，後者是「巧取」。

但「乞憐者」常因食髓知味而變成眞正的可憐人。久而久之，他們會以眉頭深鎖和到處訴苦爲爭取一切「心之所欲」的手段，乞憐的邊際效益却越來越低，因爲沒有人能歡歡喜喜的跟一個「可憐蟲」相處，心甘情願的關愛他們。

利用自己的可憐與悲傷來吸引別人同情，其實沒有辦法稱心如意很久。人人或多或少曾利用「乞憐戲」達到某種目的，但在自己心裡出現「可憐可憐我」的呼聲時，不妨正視內心，問自己：「你到底想要求什麼？」能夠正面溝通就正面溝通。

因爲同情畢竟不是愛，不需委屈自己做感情的乞丐。

襪子與碗筷

有一天，我的朋友有點沮喪的說：

一個女人，不管事業如何成功，男人還是希望她能替他洗襪子弄碗筷。別相信他們說，只要讓我愛妳，我什麼都不在乎。了解這一點很重要。不是悲觀，事實就是事實。落實在生活中的愛情，就會從水晶樓閣變成四平八穩的雷峯塔，把個淒絕美絕、為愛不顧一切的白娘娘壓在沈重的塔下。

有時我們得告訴自己：別期待太多，以免失望太大；就跟我們也不希望別人以「飢渴」的眼光期待我們一樣。事實是事實，神話是神話；神話有它奇幻的芬芳，事實也有它貼心的觸感。

人人心中一座麥迪遜之橋

眞愛是過程，而不是目的。一個未完全或無法完成的故事，也許是一個缺憾，但也可以光華美麗。

有些人是鷹，有些人是羊。

蕭伯納說：

人生有兩件事令人遺憾：得到與得不到。

愛情也一樣。婚姻亦如此。《圍城》裡說，婚姻是：外頭的人想衝進去，裡頭的人想衝出來。

得到和得不到，外面的人和裡面的人，都可以發現令人不滿足的地方。所以你何必悵然？

《麥迪遜之橋》這本書，在美國可以暢銷七百萬冊，在本地也大受歡迎（據說最能垂淚或垂涎的多半是已婚男女），至少說明了一個心理現象：

除了男人之外，每個女人也很渴望有一次外遇。不必改變現有生活，但可以典藏心中一生一世的「完美的偷情」。

♬

我讀《麥迪遜之橋》，「沿著達爾文思考的邏輯路徑」直觸感動的核心時，竟然也熱淚盈眶。看電影，看到芬西絲卡的手握緊車把手又鬆了下來時，更是涕淚縱橫。

得不到的最美，曾經擁有也是眞愛。

♬

有些人天生是一隻鷹。注定要流浪，要從遙遠的天際下望，俯視芸芸衆生，他們天生有遊牧的血液，必須獵食生命中的未知。

停滯不動，等於死亡。

《麥迪遜之橋》的若柏是一隻鷹。他一直在尋找他心靈的食物。在芬西絲卡的眼中，他「生活在奇異的、幽靈出沒的地方，沿著達爾文思考的邏輯路徑，倒溯到遠遠的過去」，他的腦中始終鳴響著時間的無情哀泣，因而他總是四處飄泊、來去匆匆，只爲尋求人生的謎。他不是在找尋解答，而是在尋找問題，用他專業攝影師鷹般犀利的眼睛尋找生命的出口。

有些人活了一輩子，在尋找安全感，在已知的路徑上移動，像芬西絲卡，直到那個男人降落在她的生命中，她才恍然大悟：啊，原來人生可以有這樣的吉光片羽。待他離開，她依然安分的走著她已知的路徑，抱著美麗的缺憾，默默死去。她像一頭馴良的羊，她必須咀嚼地上的青草，她安於她的家。她是大地之母的化身，必須像個地標一樣，矗立在屬於她的地方。

而他必須在不安全感中尋找，他知道，他如果只走在已知的路徑上，他就看不見能讓他的生命血液繼續流動的東西。他必須狩獵。安全感之於他等於死亡，芬西絲卡知道。

但是他們相愛了。

當《麥迪遜之橋》登上全美暢銷書排行榜時，有人問我，妳相信這個故事嗎？

我說，這無關我相不相信。我覺得這個故事很唯美，很符合中國式的緣分——兩個生活在不同環境、有不同屬性、過著不同生活、嚮往著不同的生命情境的人相遇了。在天旋地轉的那一瞬間之後，就是注定的分離。

若柏是個「國家地理雜誌」的攝影師。他不是個名人，一生並無彪炳的功業，對這個尚實際的社會來說，他是個幽靈。他帶著他的角架與攝影機看世界，他愛索馬利洋流、大斧山脈、馬拉加海峽。他在拍攝麥迪遜之橋時遇見一名中年女人，一個曾經美麗的中年女人。若柏用相機捕捉了麥迪遜之橋與和他相戀的女人。這個中年女人叫芬西絲卡。

芬西絲卡是個平凡的女人，在歲月侵蝕中還存有一點赤子之心的中年女人。

作者羅伯・丁・華勒形容這個女子在老年看自己當時照片時的景況：「照片中，最初的皺紋才剛剛爬上她的臉龐，他的相機捕捉到了這些線條……她的頭髮烏黑，身體飽滿而溫暖，恰如其分的充實著她的牛仔褲。然而她最注意的還是她的臉，那一張不顧一切和爲她拍照的男人相戀的，女人的臉……她還可以在她的記憶之流中，清楚的看見他。每一年，她都鉅細靡遺的省視流過她心中的，他的形象；她記往一切，絶不遺忘。他高瘦而結實，行動如風中之草，那麼不費力的優雅著……」

芬西絲卡是個平凡的家庭主婦，二十五歲時，她的軍官丈夫將她從義大利帶到美國，二十年的婚姻使她有了兩個孩子和一棟鄉村房子，成爲一個平凡的農夫妻子，幾乎已經忘掉她年輕時曾有過的藝術狂熱。她帶陌生人到麥迪遜之橋，並留他吃晚餐。如果她的丈夫、孩子這兩天在家，她就不會有這個美麗的回憶。

没錯，《麥迪遜之橋》的故事是一個有關外遇的羅曼史。芬西絲卡和若柏一起看過草地與天空後開始談論詩，然後他以「古老的本能」觸摸她的肌膚，無論如何都無法抑制的、古老的生物性本能。啜飲白蘭地和咖啡後，他盡量節制自己，在她家平安度過一夜。如果第二天她没有請他吃晚餐，没有故意穿上她的新洋裝，他也許看不見屬於這個中年女子的優美。在一段共舞之後，「他吻她，她回吻，長長的，柔軟的，吻成一條河」。

他們在精神上和肉體上都做了愛。兩個不同人生路徑的人終於交會了。

他們相愛。他在肉體和心靈上，都碰觸到她的核心。但他像鷹行天空、豹奔草原，天明時終究要走，只留給她幾張照片。他走了以後，兩個人沒有再連絡，她只能從「國家地理雜誌」上間接得知他的行蹤。她的丈夫去世前，她沒有企圖跟他連絡，他也沒有。直到六十七歲那年，她收到了一封信，若柏去世了，他的遺產代理人以冷硬精確的律師文字告訴她：若柏的遺體已經火化，應若柏要求，他的骨灰要撒在讓他們相識的麥迪遜之橋旁。她還收到一封信，若柏和她相識後的第十三年前寫的，他說，他四處飄泊，爲了轉移打電話給她或想去看她的衝動，他接下所有能找到的國外工作，但他仍常對自己說：「去他的，不管付出什麼代價，我要把芬西絲卡帶走！」「在那個炎熱的星期五早晨，開車離開妳的小徑，是我生命中最困難的事。」他說。那年她六十七歲，收到了這一封信。

在他死後，他的愛才落在她的身邊，不再奔逃與漂流。芬西絲卡將他的骨灰撒在橋旁，而她在六十九歲死亡時，也要求將遺體火化，撒在同一座橋。他們的故事，由她的一兒一女發現。她留下一封信，告訴孩子們這個故事，她承認，那幾天的短暫愛情，比她的四十多年婚姻值得眷戀。「如果不是爲了你們的父親和你們兩人的緣故，我會立即隨他而去，不論去哪裡。他要我與他同行，但我沒有答應……在四天裡，他給我一生，給我一個宇宙，並且使我支離破碎的片段化爲一個整體……若柏教我怎樣成爲一個女人，這是很少——也許沒有任何女人經歷過的。」

芬西絲卡沒有後悔她曾經作過的選擇，但靈魂離開軀體之後，她選擇永遠的愛情。

《麥迪遜之橋》是一個很平凡但也很感人的外遇情事，但如果沒有羅伯·丁·華勒的漂亮文字，它甚至會變成一個濫情粗糙的故事。

很少外遇的故事這麼美麗。因爲在外遇情事中，人們只知發揮他們占有與破壞的本能。若柏與芬西絲卡，一隻鷹與一頭羊，我相信，尊重愛人的生命路徑是我們能爲愛人所做的，最美好的事。

「舊夢是美好的，夢雖沒有成眞，但我高興擁有這些夢。」若柏這麼說。其實是作者這麼說。

我也爲這句話喝采。

眞愛是過程，而不是目的。一個未完全或無法完成的故事，也許是一個缺憾，但也可以光華美麗。如果你有一顆包含缺憾的、美麗的心，你的心中也可以有一座永遠的麥迪遜之橋。

羊與鷹

事隔多年後想起一個舊情人，感情經驗豐富的她說。忽然發現他是我認識的最佳情人，於是想約他吃飯。那天陽光很好，風也涼，他比我記憶中腰身寬了、頭髮少了、口吻沈穩了。可是我竟還能看出他眼中閃動些許激動的光芒，彷彿與我分手那日迷濛絕望的目光。

他說，啊，沒想到妳十年沒變。可是三分鐘之後他的眼神不再悵惘，有意無意說起他幸福的婚姻，臉彷彿塗著一層蜜。她不覺得妒嫉，只覺得有些傷感。天哪，我多年來在感情中的掙扎和努力，只是為了發現從前撿的石頭比較大嗎？

他是那麼一個家居好男人，而我竟無福享有。她說。只能為他祝福，並為他感到快樂，還好還好，他娶到的不是我這樣的女子。有些人是羊有些人是鷹，就讓我飛在藍天之中，看他靜靜咀嚼他的幸福吧！

她說完這段話後，我真真覺得她是個頂好的女人，只是好女人不一定適合好男人。她說的對，有些人是羊，有些人是鷹。遙遠的祝福總比天長地久的把牠們關在一個籠子中好些。

你知道，有些婚姻只淪為蛇與貓鼬的戰爭，或者像兩敗俱傷的鬥魚，用盡一世聰明和力氣。

不說話的自由

早在菩提達摩之前，禪宗已經在迦葉的微笑、佛陀的授花典禮中，深深扎了根，種籽破了殼，發了芽。不可說，不是騙你的，眞的不可說。

有時多說話不如少說話。

邱吉爾一輩子做了無數次的演講，其中最膾炙人耳的一次，就是話說得最少的那一次。在美國的某大學、某個重要的典禮，當芸芸來賓正打算洗耳恭聽這一位偉大人物的建言時，他上台，沈默了許久，然後抬起頭來：

「永遠，永遠，不要放棄！」

又是一大段時間的沈默。來賓們鴉雀無聲，等待他要再說什麼。他終於又開了尊口：

「永遠，永遠，不要放棄！」

這是邱吉爾一生中最著名的演講。當然，想要以短短的字句打動人心，最重要的前提是，你必須已經是個衆所矚目的人物，你已經一言九鼎！

這時候，多說話不如少說話。

♬

有時說不如不說。

這讓我想起梁武帝的故事。一個尊崇佛教的皇帝，好不容易請到了菩提達摩。他恭敬的問：「什麼是聖諦第一義？」

「不知道！」

武帝不相信自己的耳朵，這一個看來像得道高僧的人，竟然坦蕩蕩的告訴他：「不知道！」他又請教了一次。

「空，廓然無聖！」

這是什麼意思？這傢伙竟敢告訴我根本沒有什麼神聖的教誨？梁武帝有點不高興。第二天他請問自己最尊敬的誌公禪師，誌公說，唉呀，他才眞是個高人！梁武帝雖然不明白意思，仍派人去追菩提達摩回來。但菩提達摩早已經乘一葦渡江，到魏國去了。

不知道。於是開了禪宗的花，一朵最美麗最奧妙的花。

不知道。一個最無法探測的空。正如宇宙物理學中，令科學家們最著迷的黑洞。

♬

有時無聲勝有聲。

爾時……釋迦牟尼在祇樹給孤獨園說法。他，不得不說法。

他曾問弟子須菩提：「須菩薩，如來曾經說過法嗎？」

須菩提恭敬回答：「就我所了解，如來所說，無有定法，如來所說法，皆不可取，不可說，非法非非法……一切賢聖，皆以無爲法，而有差別。」

我很少看到有什麼文字，比鳩摩羅什翻譯金剛經所用的文字更美麗、優雅而簡潔。

既然法不是法，佛爲什麼要苦口婆心的說，說了四十九年，說到他圓寂爲止，中間竟然只有三個月閉關不說話。只爲芸芸衆生，在他們還沒有內在的眼睛和耳朵前，聽不懂無聲的美妙音樂，看不見日日都是天女散花。

♬

所謂佛法者，即非佛法。金剛經如是說。

法尚應捨，何況非法。金剛經如是說。

如是如是。所以有一天，當釋迦牟尼在應該開口講話時不講話，只是拈花微笑，開始緊張了。大家想問：「世尊，你爲什麼不說話？到底發生了什麼事？」但是，沒有人敢問出口。連佛陀的大弟子、二弟子，一切資深弟子都不知如何是好，他們只將懷疑的神色藏在眼睛裡。

多麼靜，彷佛時間都停止了。一切無聲無息，也許只有鳥兒在菩提下不甘寂寞的吱吱喳喳吧！這時候，只有一個人在微笑。

迦葉。一個在如銀河般浩瀚的佛經中，從未曾發一言的人。

他笑了。

只有他敢笑，而衆人愕然，這個人笑什麼？

佛陀却把花傳給了他。一個無聲的訊息，一個神祕的音波，只有他接收到了。

什麼意思？你會問。

不可說。不可說。正如天地之間，四時行焉，萬物生焉，不可說。說了的都不是眞實的，說了的都不對。

早在菩提達摩之前，禪宗已經在迦葉的微笑、佛陀的授花典禮中，深深扎了根，種籽破了殼，發了芽。不可說，不是騙你的，眞的不可說。

明明不可說，而我竟然已經說了這麼多。

爲什麼我要說這麼多？

像我這麼一個俗人，有嘴還是會說，但有時常常覺得，說話多餘，寧願讓手和腦配合的時間差縮短一點。人常常犯了一個毛病，說了許多，但不知道自己要說什麼？或者話一到，就從嘴巴出來，讓所有的話語都消失在大氣層裡。有的話說了製造自己的煩惱，有的話說了讓別人煩惱。

人人有發表言論的自由。但是，並不是人人有必須聽你發表言論的義務。這一點，我們很容易忘記。

在家的妻子認爲上班回來的丈夫有義務聽她東家長西家短，那才叫作夫妻之間沒有祕密。

失戀的朋友在三更半夜打電話來，跟你說，他生不如死，對方如何可惡，如何辜負他的眞心。

上了計程車，司機問妳幾歲？二十九了。如果妳誠實回答。結婚了沒？沒有。怎麼不結婚？……好像非說不可，否則，不知道妳的沈默會不會換來一個讓妳撞到頭的緊急煞車。選舉的時候問你，你要投給誰？若與他不符，有時候滿慘的。所以我的一個朋友學到了乖，嘿，他只要一接收到這個問題，便反問司機：「你投哪一黨？」

「他支持誰，我就說，對對對，我跟你一樣，也支持那個人……這樣，平安無事，大家快樂得很！」

我們現在人人有說話的自由，但是，到底有沒有不說話的自由？

不說話屬不屬於人身自由？老實說，在這個島嶼裡生活的我，非常非常疑惑。

♫

自古以來，人們爭的都是說話的自由。

雖然進入了民主時代很久很久，但是大衆好像仍然習慣做沈默的羔羊，不知道是不是從「我有話要說」的廣告一炮打紅了以後，人們開始意識到自己說話的權利，大家開始說話了，而且越來越品嘗到說話的樂趣，能講出一大堆大道理的人就是名人，要當民意代表開始要辯才無礙，不只是斬雞頭、處決那些倒楣又可憐的雞就可以……然後地下電台興起了，人人以能夠Call in進入忙線爲榮，廣播節目的主持人尤其必須連珠炮般的說，至於內容有不有趣，好像就不是大家關心的話題。

頓時成了公衆人物，讓大家都聽到你說話的感覺，也許滋味不錯吧，所以值得一嘗再嘗？沒話可說也要說？

「這裡，人的熱潮是三年一輪的。不久後，你等著瞧吧！從KTV到

Call in，再下來還有新的管道，等著看吧！」

是的，我們在一個變化劇烈的流行漩渦中，我們輸人不輸陣的勇敢著。我們，芸芸衆生，我說故我在也。

♬

不可說，又不可不說。不能以心傳心的我們，到底有多少矛盾？

有一種私人性的話語似乎不得不說。

「有了沒有？」我一位新婚的朋友說，自從她結婚後，她就飽受這樣的「流彈」困擾。

「什麼時候再生個男孩子呢？」只有一個女兒的母親在這麼現代的社會裡仍常常被這樣問道。

至於，「什麼時候喝你的喜酒？」倒是百分之九十的人被問過的問題。也是百分之八十的人問過別人的問題。這個世界的人非常怕有人不遵守「遊戲規則」。想跳出去的人，還眞怕沒人跳進來，後繼無人。

大概是在紙上已經寫了太多。我一直不是個喜歡用嘴巴發表意見的人。皆不得已。

♬

我非常害怕開會，因爲身爲一個上班族，會似乎非開不可。

梭羅曾經說過一句狂語：我平生所接到的信中，只有一、兩封值得它的郵資。也許我們也可以把這句話稍作改動：我平生所開的會中，只有一、兩場値得它所花掉的時間。

這句話很毒，但是不無眞理。

有一位當代心靈運動的領導者曾說，天下不必有「討論」兩個字，因爲不是我告訴你，就是你告訴我，如果我們都不知道，那麼，有什麼好討論的？

我常覺得，人多口雜的會議，只是某種方式的討價還價。

還有很多人，專門在開會的時候沒意見，是是是，會後嘴巴裡說出來的意見多如恆河泥沙之數。上班族現象，一直是很有興趣的一門社會學。

在這個社會裡，只要能呼吸，似乎就沒有不講話的自由。

很多時候，我眞的非常希望懇切回答：「不知道！」「沒意見！」或者「我眞的不想說。」

但是，眞的有不說話的自由嗎？當人們懂得尊重別人說話的自由時，不說話的自由卻被遺忘。

話說得太多的時候，常常自覺：我知道，我疏忽了心裡眞正的聲音。

海誓山盟一時真

當愛情情勢到了該有承諾的時候，熱烈大膽的憑心中感覺說吧！但萬一……也請勇敢大方的擁抱現實結果。

馬丁・路德金二世說：

啊！最悲慘的事並非夭折早逝，而是活到七十五歲，還覺得自己沒有眞正活過。

我說：

最悲慘的事不是戀愛失敗或沒有結婚，而是終老之後仍覺得自己沒有眞正談過戀愛。

♬

海誓山盟，到底有沒有用？

我想，任何承諾都一樣，在我們說「我永遠愛你」的時候，大都千眞萬確，眞心實意。

後來，變的不是承諾，而是人心。

很多曾經用「心」海誓山盟過的人，到最後指責對方負心。咬牙切齒，恨不得對方出門給車撞死，萬般毒咒從自己的「心」發出——啊啊，你的心不是也「變心」了嗎？你的心當初是愛他（她）的，當他不愛你，你便恨他——你豈能只指責他變？你不是也跟著變了。

心是會變的。因爲各種外在和內在的改變而改變。「個性不合」使愛情變色，「味同嚼蠟」使婚姻變色，「人際鬥爭」使工作心情變色，回家則使家庭變色，人間更有無數個可能使各種諾言變色。

心是會變的。

不然，去翻翻你小時候的作文簿吧！許願做總統的，做了沒？許願做醫生的，做了沒？許願當老師的，做了沒？即使你的心眞的一本初衷，難道沒有經過任何掙扎嗎？

你對自己的承諾都會變，憑什麼要求，他愛情的承諾不變？

我們都是嚴以律人，寬以待己。對愛情的聚散，據說有智慧的人都會勸你不如用平常心來看。

真愛非常頑強真愛非常頑強

得之我幸，不得我命。留不得，便捨得。

說來容易做來難。

我們都很貪婪，至少，想留久一點。

留得久也要留得好。那麼就需要一點點技巧，也可以說是愛情與婚姻的智慧。光是聰明（耳聰目明）不夠。只有在熱戀時候才能昏天暗地轟轟烈烈糊塗一時，但如果繼續任性下去，最初美好的戀情會像潑在沙地上的水一般不可收拾。

這個世界每一秒鐘都有戀情發生，能有「結果」的恐怕不到百分之三十；有「結果」的愛情，能夠白頭偕老的不到百分之三十（我是指，在其中一方魂歸西天時，兩人還能手牽手的）；白頭偕老的老夫老妻中，彼此愛意多於恨意的恐怕又不到百分之三十。

海誓山盟的成功機率是千分之二十七。一百對中還算能琴瑟合鳴以終的可能不到三對。而這三對中，仍覺得愛情與當初盟約時一樣燦爛眞摯的，可能不到一對。我想我的估計還算相當樂觀。至於那一對的關係，也很可能是「有他活不好，沒他活不了」的依存關係。當中齟齬難以數計。

對方願意和你海誓山盟，代表他重視你，把你的愛情放在心口上。懂得愛情的人，也須承認，諾言有它的時空限制。

許諾是容易的，保持承諾是困難的。

我記得以前念古詩時，曾經念過一首非常貞潔剛烈的詩，原文是：「我欲與君相思，長命無絕衰，冬雷震震，夏雨雪，天地合，乃敢與君絕。」

翻成現代話應該是這樣子的：我想要和你天長地久直到永遠，除非冬天會打雷，夏天會下雪，除非世界末日，我才要跟你分別。

在讀這首詩時，我不到二十歲，幾乎沒談過什麼刻骨銘心的戀愛，對這種決絕的愛情嚮往得不得了，心中充滿觸電一般的感動。把愛看得比生命還要重的誓言，確是很容易感動未經世事的心。

後來我才漸漸明白，發誓儘可以很壯烈、很有美感，保持諾言仍然困難。當情況有變，愛已不再，背叛諾言的人常也是很不得已的。他們多半在歷經掙扎之後，才決定毀棄約定，選擇自己內心的聲音。

他們背棄盟約未必是因爲「喜新厭舊」，他們更不是「見利忘義」的陳世美。有時只因他們人生中的第一次選擇是錯誤的選擇。

記得我高中時有一次到同學家遇到同學的祖母，這位祖母看來很慈祥，但從我第二次到她家後，一遇到我就投訴自己的不幸，把一生悲劇歸因於她那個十年前琵琶別抱的老公，並且咬牙切齒的痛罵那個後來嫁給她前夫的狐狸精。說到激動處，不能自抑，我非常害怕她心臟病發作，不敢走開，只好靜靜當個傾聽者。

傾聽別人的故事，從我小時候開始就是我的樂趣，所以我的表現可能比其他人有耐心一些。老太太喜逢知音，一遇到我就滔滔不絕。

我問她的孫女，要不要建議她祖母看心理醫生？她孫女嘴一撇說：「管她呢，她沒有恨，活不下去。」

這位祖母級人物，據說在大陸時家世顯赫，是名門之後，年輕時也是一代佳人。來台之後，比從前辛苦一百倍，所幸她持家得法，拉拔了幾個孩子長大，家境轉好之後，老公卻矢志要跟她離婚。

「想當初他追我的時候，我們上海有什麼新來的舶來品，他都往我們家送，還對我海誓山盟，說我不嫁他，他就去跳黃浦江，愛我要愛到太平洋海水乾，我辛辛苦苦爲他持家，他卻這麼没心没肝，我就是死了，做鬼也要找他把帳算！」

老太太說話抑揚頓挫，還會押韻。起初我滿同情這位老太太，對我的同學說：「妳的奶奶很可憐哪。」我的同學卻又不以爲然，冷笑道：「如果我是我爺爺，我老早就逃走了，不會撐那麼久。」

原來老太太脾氣一直很大。稍不順心，就在家摔碗摔筷，至今仍在家虐待我同學一家大小。「我爸爸背上有一道長長的刀疤，就是他念高中的時候被我奶奶砍的，他頂了嘴，我奶奶的刀就咻——飛過去！」

有一次我終於見識到「飛刀奶奶」的厲害。我剛探頭進她家的門，就看到一把鍋鏟咻從我眼前十公分處飛過。

「你們都想害死我，叫我吃這麼鹹的東西！」我聽見老太太以尖銳的聲音咆哮：「你們都是依那個老不死的那邊，想早日叫我死，我老早就知道！」

老太太在她的時代是個「知書達禮」的人，在大陸還有大學畢業的學歷，來台吃過幾年公家飯，所以她在面臨婚變時，比一般人冷靜，懂得運用法律的力量。一直到十年後，她還企圖以各種罪狀控告當初主張「不堪同居之虐待」而判決離婚的老公。「我祖母有幾次在法院裡破口大罵法官偏袒男性，被法警攆出來的紀錄。」同學悄悄告訴我。

後來我曾隨我的同學探望她爺爺。她爺爺因中風而不良於行，由「新奶奶」照料著。那個新奶奶溫婉善良，看來一點也不像「狐狸精」。那時她爺爺說話咿咿呀呀並不清楚，都由「新奶奶」委婉翻譯，兩人眼神相交，甚是甜蜜。

我也注意到她爺爺家前門的玻璃窗全破了，問「新奶奶」：「發生了什麼事？」

「新奶奶」無奈的說，昨天，「飛刀奶奶」又前來鬧陣，她不開門，飛刀奶奶拿了掃帚柄，把每一塊玻璃都撞破，她找人修，那人還沒空來。

嘿嘿嘿……這個眞實的婚姻故事夠黑色吧！

這個有點偏激的故事，使我思索「海誓山盟」到底是怎麼一回事。一味指責在愛情中背約毀信的人是混蛋，並不公平。

飛刀奶奶的老公固然變心，但飛刀奶奶在歲月流轉中也不是全無改變：也許是老公變心使她性情大變，但也許是她先由一個有點驕傲的富家小姐，變成潑辣暴躁的恐怖主義者，愛情才變質的吧！

海誓山盟能不與時俱變，當然是很令人感動的。像我在《緣定逃不了》一書中，就曾寫過另一個我親眼目睹的故事——〈情人逃不過我的眼晴〉，一位名叫小虎的北京青年，從初戀開始愛那個比他大九歲的表姐，愛了二十年，歷經文革下放，其間他表姐被迫接受與某共幹的無愛（甚且還有恨）婚姻，生了三個孩子……他的初戀還是燃燒了二十年。如今表姐年已四十餘，他仍孑然一身等在那裡，即使在日本留學期間，多少東洋女子痴心愛他，他都不爲所動。

人間自是有情痴，不必海誓山盟。眞正的盟約，不是說說就算了，也不是說來給情人高興，是刻在別人看不到的地方——自己的心頭肉上。

以前到中文系旁聽，一位教授說到「不負舊盟」時，總推崇民國初年推動五四運動的胡大師，說當時許多自認爲知識份子，一喝了洋水就放棄不識字的髮妻，只有胡大師始終如一，未曾喜新厭舊，實爲一代表率云云。

從表面上看來，胡大師對婚姻重諾守信的眞是典範，但事實上，我想他是「甘苦誰人知」。在我看來，這樣的重然諾是很悲哀。

胡太太纏小脚、不識字，只愛打麻將——我不知道他們夫妻數十年，靠什麼溝通？用什麼了解？

據說胡太太聽說那一代知識份子吹起一股換妻風，曾拿菜刀在胡先生眼前亂揮，說：如果你敢不要我，我就把你的孩子全部砍死！

唉唉唉，如果你是胡先生，你何去何從？

如果兩人已變成愛情絕緣體，被迫遵守海誓山盟，是很辛苦的吧！眞是一生悲劇！連我們的大思想家都避免不了這種悲劇。

我欣賞的是海誓山盟的美感，我不欣賞的是，在愛情危機層出不窮時，不懂得補破網或接受變局，拿海誓山盟來膠柱鼓瑟，只知問他：你當初那樣愛我，如今怎可背叛我？

那是只把愛情看成一個定格的鏡頭。

其實愛情是一部電影，它的劇情和長度，你都無法掌握。你只能盡人事而聽天命。

當愛情情勢到了該有承諾的時候，熱烈大膽的憑心中感覺說吧！但萬一……也請勇敢大方的擁抱現實結果。

♬

我曾經在《不是眞心又何妨》中創造了一個「新」名詞，叫「Weekend Lover」。

別吃驚，可不是單指一夜風流。在愛滋病如黑死病的今天，一夜風流並不好玩。

雖然愛情認眞了也不一定如何，不認眞却不好玩。一年會一次面很不人性，一週，不太長也不太短。

我理想中的Weekend Lover不是速食式的，是保持自由空間的固定伴侶。不住同一屋簷下，一個禮拜才見一次或數次的有情男女，一定捨不得把珍貴的時間用來吵架、攻擊愛人的弱點，也沒有足夠的時間日久生厭，或覺得愛情索然無味、難以繼續。

小別勝新婚。

愛情原來需要時空阻隔。緊緊相隨，固然恩愛一時，可是日子久了，天天看對方蓬頭垢面、袒腹、挖耳垢、擦鼻涕，唉，當時的浪漫愛情火，不知不覺已長了脚逃逸而去。

愛人的時間原來需要一點節制。也許兩個人有緣有分的時間是固定的，像一瓶份量有限的酒精，打開蓋子太久，所有的甲醇都會自然揮發，只留下平淡如水。

有時關起蓋子來，保持濃度，才是上上策。

宋朝的詩人姜夔是有先見之明的，他在寫牛郎織女時，說：「兩情若是久長時，又豈在朝朝暮暮？金風玉露一相逢，便勝却人間無數。」

Weekend Lover式的夫妻或情人，應可勝却人間無數吧！有一點距離是美的，有一點阻隔反使愛情不容易消失。

你不相信？君不見很多人激烈的愛情長跑了很多年，父母反對、環境懸殊、門不當户不對，他們還是要打破頭愛到底，一旦有情人終成眷屬，卻在不成比例的短時間內各奔東西，徒然讓很多人爲之感嘆「相愛容易相處難」。

因爲我們太貪心了，偏要朝朝暮暮不可。我們常像牛郎織女，一旦愛上，如火如荼，男廢耕，女廢織。太接近愛人，看見不浪漫的生活現實，又迷失了自己。

Weekend Lover當然不適合每個人。但，也許適合很需要自由的某些人。

酷愛

有一種人，他們以為說「我愛你」是一種肉麻兮兮的行為，因而變得很酷，讓自己變得對愛失去溫度。

其實，最希望從他口中聽到「愛」字的，就是他自己。這樣的吝嗇，百分之百損人不利己。

小狗，別咬自己尾巴

左思右想或恐懼對人生無益。
可是，很多人的人生靠咀嚼胡思亂想過日子。
胡思亂想可不等於思想！

據說，都市裡有很多上班族得了「週末恐懼症」。

週末，疲倦的上班族卸下上班服、暫別打卡鐘的日子，對大多數的都會居民而言，眞是可喜可賀。可惜，却有很多人得了「不可告人」的害怕週末症候羣。

她，一個美麗的二十五歲女子，獨自在台北都會工作，自從愛上一個有婦之夫後，週末就成了她的夢魘，當同事們歡歡喜喜談論週末要做的事時，她只能愁眉深鎖、心不在焉的應和兩聲。因爲他和她有這樣的默契：週末及週日是他的家庭日，他有責任讓妻兒享天倫之樂。週末孤寂的夜裡，她的腦海中不斷上演A片的鏡頭：他和她的妻子正在做什麼？一通一通電話打到他家，一有人接聽時她却噤聲不說話，獨自淚流。

他，一個三十三歲的成功上班族，一到週末或例假日總千方百計的留在辦公室加班。在上司眼中他是兢兢業業的好員工，在太太和兒子眼裡他却是個不負責任的爸爸。害怕放假的原因是什麼？他不記得了，他甚至不承認自己害怕放假。「爸爸帶我們去哪裡玩？」每當妻子這樣問他，他就感到人生枷鎖鑄上他的頭。除了談孩子外，夫妻間的相對無言更令他心慌——那麼長的空白，兩人該說什麼、做什麼呢？二十多歲時的週末多好，可以埋頭睡一天覺……

她是三十八歲的家庭主婦，結婚八年。每個週末丈夫都要帶全家回婆家同歡。她的家庭堪稱完美、婚姻幸福，但每次面對愛比較的妯娌和老愛說教的公公婆婆、只知打麻將的伯叔和一大堆碗盤，她都會陷入莫名的沮喪中。雖然已經過了作夢的年齡，但她理想的美滿家庭確實不是這個樣子……

這些都叫週末恐懼症候羣。你不是特例，美國的心理醫師曾把它列入專有心理名詞討論。縱然起因不一，但如果你聽到放假時情不自禁的開始害怕，那就表示：你目前的人際關係和生活滿意度已經亮起了紅燈！你必須解除某些阻礙你輕鬆過日子的問題。學習在孤獨中自得其樂或擴展交友圈，是單身者不可或缺的，已婚者則必須主動解除某些家庭危機，爲生活出一些新點子了。

是的，你不能逃避。害怕週末的人不會擁有美好人生。

直接面對問題吧！

你的問題到底出在哪裡？

♬

左思右想或恐懼對人生無益。

可是，很多人的人生靠咀嚼胡思亂想過日子。

胡思亂想可不等於思想！

我曾經在台北東區某條巷內的咖啡廳，聽到兩個女子精采的對話：

「怎麼，看起來無精打采，不太快樂？」

「對呀，因爲找不到好男人。這個世界上到底有沒有好男人？」

「有啊，我的哥哥弟弟都是好男人，可惜他們已經名草有主了。」

「哦？那妳的嫂嫂和弟婦快不快樂？」

「非常不快樂。」

「爲什麼？」

「因爲她們每天都在擔心失去這樣的好男人。」

這段對話，使我恍然大悟。人的頭腦似乎永遠閒不下來，總是在找一些東西來煩惱，左看也不對，右看也不對。找不到好男人煩惱，找到了好男人更煩惱，沒有一件事不煩惱。人類文明越進化，越會自尋煩惱。我們的腦袋常常像一隻追咬自己尾巴的小狗，不斷兜圈子，似乎非把自己累死而後已。邏輯上，這是循環性的謬誤，可是現實生活中我們常一犯再犯而不自知。

「我很想結婚，但這一輩子似乎無望了，我已經三十出頭，眼看就要成爲明日黃花，旁邊出現的未婚男人越來越少，我煩惱死了！」有個女友曾經如此抱怨。

「妳既然那麼想結婚，就應該走出去，擴大妳的交友圈呀。否則，朝九晚五，晚上又窩在家裡看電視，哪有機會？」待熱心朋友眞的幫她安排機會，她又打了退堂鼓，「算啦，我都這麼老了，再去交新朋友……他們暗地裡不笑我老小姐才怪！」因而故步自封，過幾年依然埋怨自己沒機會。

不少女性在孩子好不容易上了學，自己又可二度就業發展長才時，同樣犯了故步自封的毛病。「我很想出去工作，但左思右想，我都三十五了，怎麼跟剛出校門的年輕女子競爭？」問題是，要她留在家裡，她又會想到人生没意義的問題，想來想去不得出口，不少中年婦女因而得了憂鬱症，家人並不受益。她們很想改變，却用「可能很困難」「家人恐怕會被疏忽」等藉口當圍牆，堵住了自己的去路。

有個女人一看到離婚率提昇到百分之二十，就擔心自己的家庭也有破碎的可能，成天憂心忡忡，東想西想，久之就得了失眠症。她問我此事如何解決，我對她笑說：「停止左思右想，你就可『立地成佛』，因爲這一切都是妳想出來的，什麼事都没發生啊。」她却立即反擊：「妳叫我什麼都不思考，那我不變成蠢女人了？身受高等教育的我，怎麼能不想？」

我啞然失笑。原來大家都習於把胡思亂想當成思考，這眞是天大的誤解。

還有一位男子因拒絕任何溝通而使老婆變得嘮叨又易怒，他怨尤頗深，動輒以離家出走應付，當然解決不了日漸惡化的婚姻狀況，但他仍對朋友自我解嘲：「蘇格拉底就是因爲有了這樣的老婆，才成爲哲學家。」

這又是錯誤的思考邏輯。可不是每個有惡妻的男人都會變成哲學家蘇格拉底，大多有嘮叨老婆的人都只換得一生遺憾無比。與其將自己套在錯誤的邏輯左思右想，不如走出迷宮，挺胸解決你的頭腦認爲「很困難」的問題。

眞正愛的滋味

就像汪洋大海只有一種滋味一般，真正值得天長地久的愛也只有一種感覺，就是自在。可是在達成自在之前，卻要處理重重困難——玫瑰原來只能盛開在有刺的莖葉之上，而蝴蝶必須從醜陋的繭中奮力掙脫出來。

有些人堅持用「恐龍式」的原則，突破愛情障礙。

愛情何妨自掃門前雪

愛情中，想當「善意第三人」，是要很有智慧的。還是莫管他人瓦上霜吧！除非一陣大雪會把他人活埋，你才可以施援。

隔牆有眼。

這眞是一個天大的祕密。

當淑敏靈敏的鼻子嗅到一絲不尋常的氣息時，她全身寒毛直豎，忍不住要一窺究竟：到底那兩個人之間的關係到什麼地步？

怎麼可以這樣？太不道德了？林太太待阿香不薄呀？她怎麼可以反咬主人一口？

當她提著一大堆「最後特賣」的袋子，大包小包的從百貨公司回家，經過隔壁的××彩色快速沖印店時，她竟然看到老闆林先生把手圈在新來的伙計阿香身上，而阿香的滿頭鬈髮，幾乎像蛇一樣團團繞住林先生的脖子。天哪！那不是在打Kiss嗎？

淑敏看得臉紅心跳。「光天化日之下做這種事，已經太缺德了，何況……何況……林先生是有婦之夫，而林太太和我是義結金蘭……」淑敏的嘴唇輕輕顫抖著。遠近鄰里都知道她是一個道德至上、熱心公益、又愛打抱不平的人。

當她痛下決心，決定讓自己這池井水去犯犯隔壁的河水時，最令她咬牙切齒的事情發生了：那間快速沖印店竟然掛上「午休」的牌子——明明還不到中午十二點！「他們竟然如此迫不及待！」

隔壁的林太太是幼稚園老師，一大早出門，大概要到黃昏才回來。夫妻倆收入大概不錯，所以請得起女店員幫忙顧店和清掃處理家中雜事。身爲全天候家管的淑敏曾經很羡慕她，因爲她也希望自己能有個「傭人」來使喚，日復一日做同樣的家事、帶小孩，使她常覺得自己像個免費女傭……不提這檔事，當淑敏發現「家裡的老鼠可能會咬布袋」這件事後，她馬上慶幸自己沒像林太太那麼天眞無知。

淑敏不死心，她覺得自己有義務識破好友丈夫的姦情。她繞到自家的浴室，把耳朵貼在牆壁上偷聽。淑敏是個觀察很敏銳的女人，她很早就發現，林太太家的主臥室正貼著她家浴室，老房子隔音不佳，稍一留神，很容易春「聲」外洩。

果不其然！她聽到了一長串的曖昧呻吟聲！還有男人充滿快樂的邪惡嘆息……一波又一波的聲音湧進她的耳窩裡，使她心花怒放——別誤會，她可是因爲自己抓到確實證據而興奮的！

第二天早上，她趕緊攔住出門上班的林太太，把她看見的事一五一十說出來，當然，善於做菜的她習於加油添醋，不免把沒看見的也用「蒙太奇」手法剪接影像過來。

林太太臉一沉，冷冷的說：「我知道了，謝謝妳告訴我。」轉身又往上班路上走。這反應出乎淑敏的意料之外，她以爲每個女人遇到這件「是可忍孰不可忍」的事情，都應該義憤填膺、青天霹靂，然後馬上回去興師問罪才行！

不過，到了晚上，她果然聽到隔壁吵架的聲音。「我說沒有就是沒有，妳無理取鬧，我怎麼可能看上阿香，她那一身肥膩膩的像豬油！」「別人親眼看到的還會假……」叫罵聲正精采，可恨是她老公在浴室外狠狠敲門：

「喂，妳到底一個澡要洗多久？」她才悻悻然從牆上拎下耳朵。正待開口向老公解釋這精采內容，她那身為工頭的老公馬上打斷她的話頭：「我做了一天工，累死了，拜託妳不要再搬弄是非，好嗎？」

第三天，她又忍不住故意站在林太太上班的路上：「喂，有沒有怎麼樣？」

林太太雙眼浮腫，看來沒睡好的樣子，低著頭說：「能怎麼樣？」拋下這一句毫無溫度的話後，一步一步踏得咬牙切齒，漸漸走遠。淑敏受到如此這般的冷落，當然有點委屈，所以她只得找左鄰右舍的太太說去，其他的太太反而比林太太熱心，聽得津津有味，且讚揚她留取丹心照朋友。於是也答應加入勸林太太注意的行列，使淑敏甚感欣慰。

奇怪的是，接下來這幾天隔壁並無爭吵，淑敏在某一天看林太太下班回家，悄悄過去搭訕。林太太頭也沒抬，緩緩的說：「郭太太，別提了，你們左鄰右舍這樣一天到晚來問我，會破壞我們夫妻感情的！他說沒有，我們不要以小人之心來提防人家，就是有……唉，男人嘛，哪家貓兒不偷腥？我就曾經看見你們家先生，抱著一個全身香水味的女人進賓館，我可不願意莫名其妙傷害你們夫妻的感情！」

這件事於是落幕，但從此，淑敏與林太太不相往來，林太太也常常可以在自己家的臥房裡，聽見隔壁夫妻爭吵的聲音。

♬

清官難斷家務事。

少管別人的愛情糾紛是明智的（除非可能會鬧出人命來！）如果你一定要管，也一定要會看臉色。大家希望你當和事佬，只能當「和事佬」，千萬別自作主張。

不管當事人和你的血親關係有多近，人家的芝麻小事，當事人可忍，

你就不能忍不過去，不必仗義執言，

上述這個故事的根源，是我坐在計程車中時聽Call in節目而有的靈感。打Call in的「淑敏」其實是個男人，一個義憤塡膺的中年男人。他還很沒風度的罵林先生三字經，並且把林先生和該偷情女子的姓名公布。主持人咿咿呀呀張口結舌說不出話來。

好在廣播節目很多——呃，我的意思是，「林太太」應該不會聽到，「林太太」的八等親內也未必會聽到，否則，這件事可能就會變得很難收拾。我感覺，如果林太太聽到她先生的名字被當成姦夫公布，她的傷心可能遠勝於丈夫的外遇這件事。

「對於以家爲天的傳統女人而言，」（不可諱言，這樣的女人還是很多很多）一位心理學教授打趣道：「她們可以容忍偶爾被欺騙的傷害，但不能容忍有人傷害她們的自尊。」

女人有些微妙心理是外人很難理解的。我聽到這通Call in電話時，忍不住在這交通顛峯時段笑出聲來：林太太可以容忍丈夫的外遇，這位鄰居（還是男人），爲什麼不能呢？

有些人的正義感用錯地方。

看過很多愛情事件，我發現愛情是一個願打一個願挨的問題，每個人的供需不同，包容度也不同。

有些人的婚姻靠聚少離多來維持；有些人離開一天就覺得呼吸困難。

有些人偏愛大男人主義者（或大女人），有些人喜歡讓男人吃軟飯（或當佳人的長期飯票）。

美國的婚姻專家也發現，有些外遇發生後搞得家破人亡，有些外遇則反而促進了婚姻協調，以火化冰，使雙方在受挫後省思彼此的關係。

我當然不是在鼓吹外遇，聰明的你應該可以明白。讓我們就事論事吧！

但外遇事件若發生了，如你不願以離開收場，當然得讓傷害減至最低。「林太太」不是笨蛋。Call in先生的急公好義應該拿去反核、反雛妓、反虐待動物，不應該用來反對別人破鏡重圓。

由於我在聽了這通Call in節目後，逕自沈浸在自己的傻笑裡很久，年輕的計程車司機也忍不住對我說：

「小姐，妳是我看到的第一個看著這麼擁擠的車陣，還笑得那麼開心的人。」

說眞的，我有很多靈感都是偶然拾得，不然就是在運氣不佳時掉下來的。難怪宋代文學家歐陽修，他平生的靈感多從三個地方來：馬上、廁上、枕上。

塞車不一定是壞事。人生並無幾多閒暇完全沒事做，只好動頭腦。

感情的塞車也是。

♬

外力介入常常是感情破碎的原因之一。這種介入未必是惡意的。

一般可以列爲惡意介入的，例如：以積極行爲反對你們相愛的家長、不准兒子媳婦關門睡覺的婆婆（你以為這在現階段社會已是天方夜譚？才不，我身邊就曾出現有這種困擾的夫妻，我的朋友曾以一個惡毒的玩笑當建議：「如果妳婆婆這麼喜歡看A片的話，不如在她房間裡安上第四台並附贈解碼器。」）、強迫志不同道不合的下一代不准搬出去獨立成家的父母、以破壞別人婚姻快樂為目的的第三者、愛挑撥離間的小姑（奇怪，為什麼通常都不是小叔？）……

善意的外力介入也會造成難以彌補的傷害。比如：鄰居的三姑六婆、每天比你還積極替你談戀愛的朋友。他們的出發點可能是「為你好」，但其無事生非、有事離間的結果可能造成無比的破壞。

有一次我母親的朋友來訪，使我見識到善意的破壞力。這個女人素來以大嗓門外加一根腸子通到底著稱，她問我媽：「前幾天我在台北東區看到一個很像妳先生的人……我想那一定是妳先生沒錯，他牽著一個年輕女孩的手在逛街……」

阿彌陀佛！我替我爹捏了一把冷汗。

還好他提出不在場證明，證實那時他正在教書，長舌婦看到的人根本不是他，否則，以我媽那種打破砂鍋問到底的性格，我們家恐怕就「家破人亡」了。

我自己也接過善意的電話：「有件事不知道該不該告訴妳？」來電者欲言又止。

人人都有好奇心，我按捺不住，於是說：「你說吧！」

「那個某某某說，妳的男友根本是花花公子，他跟妳來往就是利用妳而已，妳千萬不要太傻！我覺得某某某的話很有道理，因爲某某某認識妳男友的前任女友，是她親口說的，那個傢伙只是個利用女人的男人，妳應該睜大眼睛！妳現在過得很不快樂對不對？別死鴨子嘴硬！」

我心裡只覺得好笑，「疏不諫親」（關係疏遠的人不該離間關係親密的人）的道理，這個人一定不懂吧？我認識他這麼久，他這個人我很清楚，我爲什麼要聽某某聽來的某某某的某某某的話呢？很抱歉，這番話我恕不採納。不過，我的心情至少因此壞了一天。

♬

我認識一位遠從法國追愛三千里，只爲和一位台灣女子締結良緣的男子。他千辛萬苦的在台灣找工作，適應生活，也生活了一段時間，但我問他喜不喜歡在台灣生活時，他很客氣的搖頭說不。

「爲什麼？」

「台灣人對別人私生活侵略性太高。」他說。

我了解他的無奈。

有人說台灣人很自私。是的，從某一方面來說。但我們對別人的感情事件一點也不自私，一點也不肯自掃門前雪。

常常是皇帝不急，急死太監。

從校園戀愛就可以嗅出這個趣味性來。

很多人念大學四年都沒有爲自己談一次眞正的戀愛，但所有的人都替室友或同學談過戀愛。

班對最難爲。兩人一有口角，男生回去投訴給男生宿舍的人聽，女生回去投訴給死黨聽，不像在戀愛，反而像在競選班代，各找支持者。

萬一班對面臨拆夥，那更苦了。先負心的人往往會變成「遺棄一人，就被全班遺棄」的現象。

談戀愛又不是選票多的人贏。選票過多，還會害你拉不下臉來，本想和解，又怕別人笑你没志氣，丟男人或女人的臉。

愛情，如果未牽扯到人命，請自掃門前雪吧！事不關己時，太有正義感的人通常得不到好報應。

有一個實際的案例如下：

小慧和志強吵嘴，便向阿美投訴，她的男友志強有多壞、有花心。阿美爲表自己和小慧站在同一陣線上，告訴小慧：「我早想告訴妳，那個人本來就是花心大蘿蔔，妳還是離開他算了，他以前還追過美玲和淑芳，人家都不理他……他人際關係也不好，全男生宿舍的人都討厭他——」

小慧在阿美搧火之下，當下告訴阿美：「謝謝妳告訴我，哼，我一定要跟他切（ㄑㄧㄝ）！」

過幾天，事情的進展完全出乎阿美的想像之外，小慧和志強又和好了，如膠似漆勝於往昔。

然後志強怒氣沖沖的跑來警告阿美：「妳為什麼要在我們之間挑撥離間？妳居心何在！」

愛情中，想當「善意第三人」，是要很有智慧的。還是莫管他人瓦上霜吧！除非一陣大雪會把他人活埋，你才可以施援。

受傷的眼神不看你

他說，我曾經用很多年來詛咒妳，並且把妳送給我的傷害加倍送給自己，一天抽兩包菸，兩天喝一瓶烈酒，後來……後來還好有一個聰明美麗但又甘於平凡的女人，為我帶來一段平安快樂的人生。看，我的體重正與我的幸福成正比……我以為我仍是很恨妳的，不過，後來看到妳，這麼精采的經營妳的人生，光芒燦爛的活著，我竟然告訴自己，我是多麼不虛此生，因為我曾經愛過妳。到目前，我對我人生中的兩個重要的女人，都比對自己滿意……

我聽完這一番話，辛酸了一下，謝謝你的讚美，然後允許自己默哀五分鐘。受了傷的眼神，始終，不看你。

我們不是蘇絲黃！

不管世界上的男人怎樣進化，百分之九十以上還是比較欣賞具有柔性特質的女人。

在很多次的旅遊經驗中，以及從我自己和友人的「豔遇」裡，我似乎可以歸納出一個女人的「天涯豔遇」法則。我的看法如下：

1.長頭髮的女孩比較會有豔遇。

2.會說英文的女孩比較會有豔遇。

3.臉上常掛著微笑比較會有豔遇。

4.穿長裙比較會有豔遇。

5.美女比較會有豔遇。

三、四點是「放諸四海皆準」的，也就是說，在台灣也一樣。第三項代表親和，第四項較爲優雅有女人味，不管世界上的男人怎樣進化，百分之九十以上還是比較欣賞具有柔性特質的女人。第二項不必解釋，會說話的人總比啞吧容易溝通。

第五項是廢話，沒說你也知道。

第一項就比較值得研究了。如果妳自認爲只是中等美女，又想要引人垂涎的話，長髮是比較有吸引力的。據我「採訪」一些西方男士，他們「憑良心」說，會比較容易受長髮女子吸引，尤其從背後看來，一頭烏黑油亮的黑色直髮，總會讓人想到「絲髮披兩肩」的中國古典美女。

這也是我自己的切身經驗：只要我剪短頭髮，豔遇就不再出現。也許你會說，這是碰巧，但若你細心觀察，在國外時也可以輕易發現：如果一名老外身旁有個亞洲女子，那個女人也許長得天怒人怨，但大多有一頭如緞黑髮。

對此我做了一個大膽假設：

外國男人，尤其是那些嚮往東方神祕情愫的西方人，心目中理想的女子典型，就是長髮飄飄的蘇絲黃。

對於有東方情結的男人而言，女人的容貌並不那麼重要。我相信，就跟我們一廂情願的種族偏見，「所有的黑人看來都差不多」一樣，他們基本上也覺得「所有的中國女人都差不多」。

有一次我拜訪一位她自認爲「在台灣一定嫁不出去」，經過一番追逐後嫁給金髮男子的女友，更證明了我的假設沒犯太大的錯。她的先生在娶她之前，從沒有認識任何一位中國女人，也沒看過中國電影。這位女友拿了中文報紙上林青霞的照片給她的先生看，並且告訴他：「這是我們中國最美的女人。」他的先生仔細端詳林青霞之後，又看看他的中國妻子，愼重的說：

「我覺得妳們長得差不多！」

我的朋友快樂如雲中雀，愛死了這個二楞子。

只要是蓄長髮、身材不要變形的女人，都可以成爲「識人不多」者眼中的東方佳人。有豔遇，想來不是什麼值得炫耀的事情。

有「中國情」的西方男子所渴望的蘇絲黃，在個性上則是柔順乖巧，以男人爲尊，只求融化在男人懷裡的女人。

我就遇過這種「不切實際」的男人。

今年的年假，我和一位女友到峇里島，住在恬靜明媚的烏布村，有一個下午，我們在Lotus Lane（蓮花巷）餐廳喝下午茶時，隔壁坐著一位進來躲雨的高瘦男子，他問我們：可不可以和我們同桌？

我們兩人看他長得不錯，斯文有禮，當下同意。由於他點的食物很少，我們兩名女子為了展現台灣式的好客精神，幫他付了帳。

該名男子為西班牙裔阿根廷人，在新加坡當景觀設計師，為了報答我們的「小惠」，當下邀請我們吃晚餐；而且，他有誠意得很，一開口就是請我們到烏布數一數二的五星級飯店「阿曼得利」。

哪有一個女人不喜歡到最昂貴且最有氣氛的餐廳吃飯？（而且還是免費的，又有尚稱英俊的男子作陪？）我們答應了，且暗自竊喜，這眞是「小蝦米釣大鯨魚」。

阿曼得利位於山林深處，供應精緻美麗的峇里島頂尖美食。很不幸的，在進餐時我們竟然發生了口角。

「我喜歡中國女人，但我不喜歡新加坡女人。」該位在新加坡工作四年的男子說。

「爲什麼？」

「因爲，」他皺皺眉頭，表現出嫌惡的樣子：「新加坡的女人……嗯，都是拜金主義者。」接著他又批評西班牙女人眼睛都長在額頭上。

「哦。」我本想默不作聲。據我的觀察，會指責女人是「拜金主義」者的男人，多半對自己沒有信心，他們潛意識裡害怕女人愛麵包重於愛他們。而越怕言「金」者，心裡越看重金錢。

「妳認爲錢和愛情哪一個重要？」他的眼睛看著我。基本上，我覺得這個是「魚與熊掌」的蠢問題。如果錢與愛情可以相提並論來比較的話，類似問題也可成立：「錢和旅遊哪個重要？」我的答案很簡單：沒有錢你根本買不到機票；沒有錢，愛情很容易變成爲錢而爭吵。

但是基於禮貌我只好客氣回答：「在愛情中，相同的金錢觀很重要。」

他的臉驟然變色，這大概不是他想要的答案，他想像中的中國女人，是爲了愛情命都不要。他又問了一次，我也重述了一遍。我相信，我的英文可以把自己的意思解釋得很清楚。

「妳也是個拜金主義者。」他很不滿意的瞪著我，「原來台灣女人也是這樣！還是上海的女人比較好，她們既高又白，又有一頭長髮，也沒有那麼愛談錢！」

「話沒聽清楚就亂給別人扣帽子是很危險的，」我也有點不滿意了，「我不是拜金主義者，我知道人要用錢，而不是被錢用……」

「看妳滿口錢錢錢……」

「你以爲上海女人不談錢就是不愛錢？在上海這個大商場的女人，恐怕才是最愛錢的！她們的聰明就在，婚前告訴你什麼都不要，只要你快樂，婚後馬上變成什麼都要，除了你的快樂！」

「妳是個愛錢的女人，才會這麼想！」

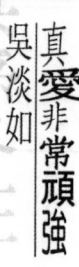

「我在告訴你，什麼是事實！」

「我看妳一定會找個有錢的男人就嫁！」他繼續指責。「我最怕女人只看上我的錢！」

「第一，你不必這麼沒信心；第二，我不認爲你的錢會多到讓我看上你，請放心！」

我一言，他一語，劍拔弩張。我的女友在旁邊一直陪笑：「對對，你對，妳也對，對對對……」

這頓飯，我眞後悔讓他請。度假時間用來和一個頭腦不清楚的男人辯論，太划不來了。

我噤聲不語後，他忽然握住我那位陪笑臉的朋友的手，含情脈脈問她：「妳是不是覺得浪漫比錢重要？」

我的朋友馬上把手抽回來，苦笑道：「你嚇了我一跳！」這句話馬上引開話題，她很技巧的明白，不需得罪兩人之一。

「我没有別的意思，妳爲什麼那麼緊張？」他說，又再度去握她的手。她狡猾的眨眨眼睛，故意撒嬌的說：「啊，如果你對中國女人觀察再仔細一點的話，你會發現，我們的手只讓男朋友握，對不起。」

「眞的是這樣嗎？」他假裝很幽默的問：「那如果晚上我和兩個中國女人共處一室呢？」

眞是混蛋！我和朋友對看了一下，我們心裡想的大概都一樣：請吃一頓飯，就幻想佔這種便宜，你以爲你是誰？

「你知道嗎？以後你碰上中國女人得小心點，你和中國女人睡一晚，可能就必須養她一輩子，兩個？別作白日夢！」反正我已經得罪他了，不惜再次給他難看。「記住，照你的說法，中國女人都是拜金主義者！」

我想，那頓飯後，他的「中國結」，大概已經鬆開了一半。眞抱歉，我們都不是蘇絲黃！

一隻長頸鹿注定沒法愛上螞蟻，
否則牠一定會處處碰壁。

你的情緒智商及格嗎？

也許人生成就未必百分之百與EQ有關，但你一生中的愛情分數高低，一定與EQ成正比。

有些愛情事件聽來ＩＱ很低。不，現在應該說是ＥＱ很低。

ＥＱ（Emotional Intelligence），是情緒智商的意思，心理學界劃時代的新名詞。

♬

我認識一些ＩＱ應該很高，但ＥＱ實在很低的人。

有一位台大畢業的男子陳，他三次婚姻都因女方求去而結束。表面上看來，他風度翩翩，相貌堂堂，工作能力也受人稱道。可是不知怎麼搞的，他的愛情路就是很不順遂。

這時代好男人似乎已經不多了，爲什麼女人要拋棄這麼好的男人呢？與他相交不深的朋友都有這樣的疑惑。

有一次在朋友家喝春酒，我目睹一幕衝突場面後，終於猜出了原因。陳和另外三個同事在打麻將，剛開始有說有笑。打過四圈之後，他的運氣越來越差，他的臉色也越來越僵，周遭一副「山雨欲來風滿樓」的氣氛。

這時，其中一名男子林餓了，要女友出去幫他買東西吃。女友幫他買了一袋滷味。林便直接把嘴放在塑膠袋口外邊打邊吃了起來，發出窸窸窣窣的聲音。

陳的眉頭皺了起來，說：「你可不可以倒在碗裡吃，塑膠袋的聲音讓我覺得很噁心。」

吃滷味的林沒把他的話放在心上，嬉皮笑臉的繼續打牌。

陳一臉木然，又忍了幾分鐘後，再度對林說：「你知不知道我很討厭聽到這樣的聲音？」

林又不理他：「打牌打得背，聲聲不順耳。喂，別拿我出氣！」

又過了幾分鐘。陳打出一張白皮，林嘩啦一聲推倒面前的牌：「嘿，胡對倒！哈哈，你沒想到白皮也會放炮吧！」

林可能怎樣也沒想到，他一句話會惹得陳大發神威。陳推倒了牌桌，扯下林的塑膠袋，把一袋滷味汁往林臉上抹，並對他拳打脚踢起來……一連動用其他五名男子才將陳拉開。

事後，陳表示他「一時失控」，不是故意的。

連打麻將時有人用塑膠袋吃滷味，都會讓他驟然跟同事翻臉到這種地步，當他老婆的人過的日子是何等水深火熱？這一瞬間，我完全了解他不幸福的理由。

我也認識一個女人，在廣告公司擔任主管，精明有餘，但她每一次交男友，男友都會變成暴力狂。

她的臉上並沒有寫著：你來打我吧！可是生命中的男人個個都打她。後來我發現，對她的命運她該負一半以上的責任，因爲她特別喜歡那種「張飛」型的好漢，男人的一口三字經在她聽來男子氣魄十足。

而且她也很有「骨氣」，兩人一衝突，劍拔弩張之際，她總會挺起胸膛來說：「來，有種就來打我吧！」

她的男人爲了證明他很有男子氣概，通常就會飽以老拳。

ＥＱ低的人，常常找上ＥＱ低的人，也常用「損人不利己」的方式處理衝突。他們沒辦法疏導自己的情緒，只會用壓抑（壓成了抑鬱症），或是發洩。

ＥＱ低的人很容易快意恩仇，不過，他們未必像武俠小說裡的俠客一樣的濟弱扶傾。

他們很容易變成一顆不定時炸彈，炸壞自己的大好前程，不管是在人生、工作、婚姻、愛情都一樣。

身爲現代人，我們或許該學會對自己的情緒有點了解、有點耐心。

♬

我們的教育，可以說是由ＩＱ（智商）導向的教育，大家都得比比誰的腦容量好，讀書記得牢，理解力比人強，就會成爲菁英份子。但出了社會，陷入愛河、踏進婚姻成爲人父母後，我們常常發現過去的天才變成現實中的白痴。

一個處事能幹、思緒敏捷的男人，可能在婚姻關係中以最沒大腦的模式和妻子兒女、岳父岳母相處；一個永遠考第一名的女孩，在愛情上卻屢戰屢敗。不少資優學生一被愛情拒絕就動輒輕生，念了博士的好學生採取對女友下毒以求天長地久，想要進博士班的優秀女學生用「損人不利己」的方式撕破臉抗爭。IQ高及寒窗苦讀都是獲得好成績的保證，但人們在人際關係中所運用的思考邏輯常連幼稚園程度都不到。

過來人都明白，愛情、婚姻及社會關係的處理，都沒有念書簡單，光靠IQ，捉襟見肘。不少IQ甚高的勇士們屢戰屢敗，只換來旁觀者清的人「奇怪，他們的書都讀到哪裡去？」的感嘆。

最近，哈佛大學的高曼教授，著書提出EQ的重要性，強調在教育中加入「情緒智力」的培養。他說，人生成就百分之二十決定於IQ，百分之八十決定於EQ，以IQ爲導向的教育已經受到相當的質疑。而EQ高的人，可以建立較好的人際關係，願意溝通，在執行上較有毅力，也比較不會因受到打擊而一蹶不振。

在看過那麼多聰明絕頂的男男女女一入情關便不足觀之後，我倒也感覺我們有必要發展一套ＥＱ的測試系統，可以針對情緒智商欠缺的人對症下藥。

如此這般，至少可以明白自己一談戀愛會不會變成不定時炸彈，減低在社會版上類似「辛浦森案」悲劇的發生頻率，而我們的優等生們也不致那麼容易因小小的愛情挫折而想不開，不會動不動以毀滅的方式解決問題。

♬

ＥＱ，雖然還沒有一套客觀的測量標準，但可以從幾點看得出來：

●你是否能感覺自己情緒的轉變並疏導它？ＥＱ較高的人比較能夠感覺自己情緒轉變。

真愛非常頑強真愛非常頑強

●當你很不愉快的時候，你是否能找出解決方案或調適方法？還是怒上加怒？衝動發洩？

●你是不是在陷入憂鬱或焦慮時只會往壞處想，希望全世界一起毀滅算了，或預言自己再也好不了，連吃飯或聽音樂都味同嚼蠟？

●你擔心的問題都是擔心也沒用的問題？

●只要感受到別人一點點的不友善，就會立即想到自己是被全世界遺棄的可憐人？

前面的五道題，如果你的答案都是「YES」，你的EQ可能非常有問題。

♫

照加州柏克萊大學教授傑克·布拉克的說法，IQ高EQ低的男性，常成爲自以爲是的知識份子、象牙塔中的巨人、生活的白痴，容易變得呆板頑固、驕傲好評斷。

ＥＱ高的男人社交能力佳、不容易作繭自縛而有同情心，自處或與人相處都很愉快。

高ＩＱ低ＥＱ的女人對自己的智力充滿自信，喜歡吸收知識，善於陳述己見（如果不符上述原則，可能連ＩＱ也很低），但比較內向，常陷於無謂的沈思，容易焦躁而愧疚。

ＥＱ高的女性會以坦然的方式表達感受，覺得生命很有意義，不會在突然爆發情緒後才覺得很懊惱，善於調適壓力。

你的ＥＱ如何？

也許人生成就未必百分之百與ＥＱ有關，但你一生中的愛情分數高低，一定與ＥＱ成正比。

以智慧，施恩惠，很實惠

最好的安慰是無言的微笑，和傾聽。
懂得無言傾聽的人是最善體人意的天使，他們明白如何對別人的困境施恩。

一見鍾情，可能是被對方的外貌或外在條件吸引，但要日久還能生情，個性則是決定性的因素；絕大多數情侶或夫妻分手的原因，都是「個性不合」——然而，想要達到「相看兩不厭」的境界，一定要個性相合嗎？

那可不一定。個性完全相合的最佳拍檔，世上可能找不到幾對。兩個人來自不同環境，各有不同的背景、學養，況且有不同的性別！想要彼此個性相合，可能就得在相處的過程中削足適履，未必歡歡喜喜。愛情、婚姻是不能以結果論英雄的，一輩子互積怨氣、打打吵吵以白頭偕老並無意義，過程中能「和平共存」才是佳偶天成，而和平共存、相看兩不厭的訣竅，並非個性相合，而是把幽默感加入生活。

特別是在兩人身處晦氣之中時，特別需要幽默的智慧。有一個眞實的故事是這樣的：夫妻倆開車旅行返家，已是三更半夜，兩人筋疲力盡，未及卸下行李箱的東西就倒頭大睡，第二天醒來，車庫裡的車子杳無蹤影。車子不見了還有保險，但行李中有丈夫辛苦拍的數十卷膠捲、妻子買的各種紀念品，遺失了更教人心痛。妻子自責不已，丈夫忽然心生幽默，說：「等等，讓我們理性的分析這件事吧！我們可以因為丟了車子而悲傷，也可以因為丟了車子而快樂。無論如何，車子是丟了。聰明的妳，該選擇悲傷還是快樂？」妻子轉憂為喜。

過一個星期，車子找了回來，行李箱的種種寶貝因被竊賊視為不值錢，還在，但一部新車已傷痕累累，只得送廠維修。禍不單行，丈夫將車子從維修廠開回家的途中，一個失神又撞上別人的車，不但把自家車頭撞得歪七扭八，還得賠償別人的損失，雖有保險，丈夫仍沮喪不已，正猛敲自己的腦袋時，妻子以微笑阻擋：「等等，讓我們理性的分析這件事吧！我們可以因為撞了車而悲傷，也可以因為撞了車而快樂。無論如何，已經撞了車，聰明的你，該選擇悲傷還是快樂？」

丈夫大笑而臣服。

困境中最容易怒眼相對，越看對方越上火，只有幽默感才足以化險為衷，互相責怪，只會在兩人的心靈上留下陰影。多點幽默感，縱使事實上幫不上忙，也算是一種慷慨解囊。

能以幽默感幫助情人或伴侶度過情緒難關的人，是屬於情緒智商很高的人。

♬

可惜通常狀況下，人們都習於在別人情緒惡劣時火上加油、雪上加霜。

比如說，每對戀人和每個家庭都可能遇到經濟上的危機。

如果你的女友（或老婆）精明一世、糊塗一時，運氣不好被倒了會，或爲朋友作保受了牽累，你當然也會跟著不開心，但懂得相處之道的人，自然得避免在這時製造雙方的裂痕，不該「有話直說」的埋怨道：

「我早就知道，妳這麼貪財，一定會遭到報應！」或「我早就告訴妳那個人不可靠，妳偏還要相信他，這下好了，妳知道我的話是對的了吧？」

這些話比直截了當罵「妳這個白痴！」更難聽。

有時沈默是最好的支持，其實犯錯者本身必已從失敗中得到了教訓，不必再送給他一頓鞭子。

對方在度過難關之後，會終身感激你的支持。甚至，你什麼都沒做，他也會對你感激涕零。

♬

懂得什麼時候不要說話，是一種智慧。

當朋友也是一樣的。

不是很久以前，我面臨人生中最大的一次打擊——我的弟弟去世了。根本無法預想到此事的我措手不及，外表很鎮定（如果我不鎮定，誰來主持大計？）但是現在回想起來，我的內心根本瀕臨崩潰。

我必須假裝我沒事，安慰我的父母。

我必須很堅強，與一個精神都不太穩定的大家族周旋，處理一些細碎的事情。

天曉得最可能發瘋的人就是我，如果沒有安眠藥和鎮靜劑，我簡直活不下去。

可能是因爲外表和內心的溫度相差太大，後來我整整發了一個月的高燒，進醫院做全身檢查，只檢查出白血球多於正常量，其他並沒有問題。

還好，挨過來了。

回想那一段時間，我最感謝的是我的幾個「上道」的朋友。他們知道此事，前來探望，什麼也沒說。

連「不要太難過」或「節哀順變」也沒說。

有的對我投以善解人意的微笑，陪我做尋常時候會做的事，有的拍拍我的肩膀，有的只是靜靜握住我的手，讓我流淚。

無言的支持讓我很溫馨。

那時我最恨那種侵略性的問候，打電話來噼哩啪啦問：「到底是怎麼回事？怎麼會這樣？」

在別人悲慟欲絕時，你還要追根究柢，就像人家傷疤好不容易在結痂，你還來剝人家的痂。

偏偏這樣的人很多。

還有更過分的，那是施壓型：「妳弟弟走了，妳要更孝順妳的父母。」廢話！我弟弟若在，我也一樣會孝順我的父母。如果你是來給予關心的，不必說這種廢話。

還有更糟的，把此事歸因給家人，一邊問原因，一邊下評論：「你們爲什麼不——？」

人人都是事後諸葛亮。

這不是安慰人的好方法。

一些面臨親友去世的朋友，都有同樣的經驗。

我相信每個人的難關都需自己度過，那是佛家所謂的自性自度，但你不可以用言語，把一個剛剛努力從內心的急流爬上岸的人再推下海去。

如果你的朋友失戀了，也一樣。

最好的安慰是無言的微笑，和傾聽。

懂得無言傾聽的人是最善體人意的天使，他們明白如何對別人的困境施恩。

♫

有智慧的父母也是孩子們的福分。

我在英國遊學時，住宿家庭隔壁就住著一對很有智慧的夫妻。他們剛好度過七年之癢。

有一次我在院子裡看書，目睹隔壁院子發生的事情。

布朗先生正在教他五歲的兒子安迪使用剪草機，父子倆剪得正高興時，父親進門去接電話。

接著，我就看到了一幕慘劇：五歲的安迪把剪草機推上了他爸最心愛的鬱金香花圃，啊啊啊，可憐的幼苗初生的綠葉應聲而斷，不一會兒，已經有兩公尺長的花圃遭殃。

很遺憾，我沒辦法及時跳過籬笆替那個孩子停住剪草機。

布朗先生出來，鐵青著一張臉。眼看他的拳頭已經高高的舉起……

他一定很生氣。近一個月，每一個黃昏，他都蹲著那兒觀察鬱金香的生長進度。

忽然，布朗太太出來了。她看見滿目狼藉的花圃，馬上明白發生了什麼事。

她小聲的、溫柔的對先生笑道：「喂，我們現在人生最大的幸福是在養孩子，不是在養鬱金香。」

三秒鐘後，他們交換了一個吻，一切重歸平靜。

我把這個故事告訴我的朋友慧文。她是一位家庭主婦。

後來慧文對我說，她很感激我告訴她這個故事。

「以前孩子打破東西，我少不了會罵他兩聲，現在我會告訴自己，對我重要的是孩子，不是碗。哪個小孩在成長過程中不曾打破東西呢？」

情緒智商高的人懂得分輕重。

如果你眞的珍視感情的價值，就該懂得在他倒楣時施小惠。

也許我們都沒有聰明到「一句解千愁」的地步。但傾聽却是人人做得到的施恩行爲。

傾聽，常比替他義憤塡膺或替他擔起一切責任聰明一百倍。

兩個未知數

X＋Y到底等於什麼？

啊，我們必須承認，很多愛情是無解的。

你一定非得打破頭解下去吧？

我想還是乾脆給它一個開放式結局算了吧！

從心靈傷口脫落的痂無需放進精神的珠寶盒收藏，蒙主恩召的寵物也不必製成標本來日夜陪伴。塵歸塵、土歸土，讓每顆心走它自己的路。

真愛非常頑強真愛非常頑強

有些男人喜歡逃避承諾

女人的邏輯，男人常想不透。
女人比男人喜歡讓人費疑猜。
男人其實不一定要猜，只要面帶微笑或保持耐心繼續傾聽就行。

有些人害怕承諾之後負擔更大。

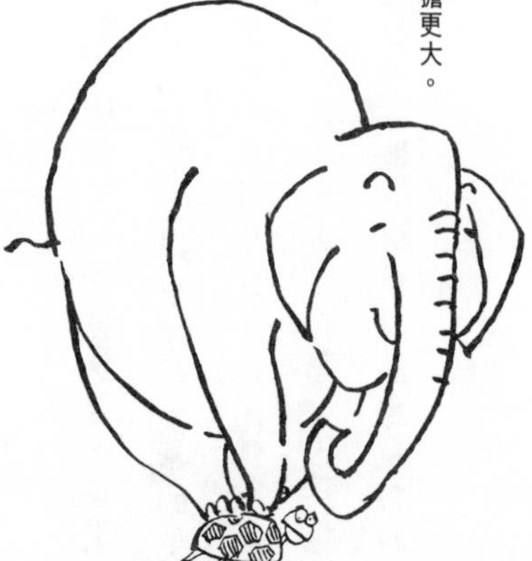

他是公司的電腦天才，她是最佳出納。兩人都不擅表達。

她第一次試探他，用的是非常委婉曲折的方法。

話題是尾牙員工抽獎時他抽到的濾水器。巧的是他們的交往也是從那天開始：他問她，會不會用這個東西？她家原本就有一個，她就熱心的示範給他看，並把濾水器蕊心上的日期撥到當天：二月十二日。他為答謝她的好意，請她到PUB喝了一杯可樂娜，兩人發現彼此還滿聊得來的，愛情的樂章就悄悄的拉開了序幕。

兩個人一個星期約會二至三次，吃吃飯、聊聊天，情投意合，但進展得不是很火速，三個月後他只會有意無意的牽她的手，用手指輕撥她的髮，隱隱約約傳遞柔情蜜意。她知道他們算是很好的異性朋友，但是他到底把她放在什麼位置上呢？將來，他有沒有可能娶她？她有點心急，因為她二十八了，他只有二十六，她不在乎他比她小，但她不想談「無意義」的戀愛。

據他說，他幾乎沒談過戀愛，她似乎必須負開導之責，但問題是，她也幾乎沒談過戀愛，只有幾次暗戀——沒開始就已經結束的戀愛經驗。她太內向了，連要跟同事暫借一下釘書機都覺得很不好意思，何況開口問他：

「你到底想怎樣啊？」

於是，她想到了那個濾水器，她記得說明書上說，每隔兩個月要更換蕊心，現在都三個月了。在春雷初響的那一天，她假裝想起什麼似的提醒他：「你的濾水器該換蕊心了。」

「什麼濾水器？」

「我們第一次一起吃飯那天你抽中的那個濾水器呀，尾牙抽中的那個？」爲了含蓄，她還把「約會」說成「吃飯」。

「哦，我想到了。」

「要趕快換哦，」她說，「現在已經失效了。沒想到我們已經認識那麼久了，三個月，冬天已經變成春天……」

他打斷她的話：「那妳知道蕊心哪裡買嗎？可不可以幫我買？買來我再給妳錢？」

她本來要發表的春日情懷馬上枯萎了。他爲什麼不等她把下面那句話講完呢？她原來想問：「你有沒有和一個女孩交往超過三個月？」

第二次試探，是在半年之後，他們已經有過接吻的經驗，看來一切進展順利，只是需要一個加速器。這一次她坐在他新買三個月的車上，看著里程表，以玉女情懷總是詩的聲音感嘆道：「啊，上面已經有五千公里了，大部分都是我們一起走過的路，眞不知道我們還可以一起跑多少公里，你說呢？」

他半晌不說話，一連闖過了中山北路的四個綠燈之後，他才轉過頭來以肯定的表情說：「我這車至少可以跑十幾萬公里才退休！妳不用擔心。不過，最近加速的時候好像有點雜音，也許我該找人來看看……妳有認識比較可靠的修車廠嗎？」

認識九個月時，兩人差點有了百分之百的接觸，但在最後一道防線時，由於她欲迎還羞加上他過於有風度，頻頻問：「這樣可不可以？」和「手放在這裡可不可以？」而非一鼓作氣，以致氣氛全無。兩人在幾個小時後精疲力竭地躺在他單身小套房的床上，她忽然問他：「你不是說你爸爸最近身體不好嗎？要不要我跟你回去看看他？」

「不行不行，我若帶一個女孩子回去，他們會催我馬上結婚的。」

聽見他的反應，她十分不悅。爲推敲他話中意思，至少失眠了一個禮拜，最後她得出一個結論：這個男人根本不想娶她，只會一味打太極拳。

於是她故意疏遠他，下班時總是先和女同事約好看電影、聊天逛街，一點時間也不留給他。就這樣報復他報復了一個月，她想出了最後通牒，告訴他：「這個星期天我要回台南相親了。」

他似乎有點驚訝，但三秒鐘後即恢復了神智，訕訕的對她笑道：「那——祝妳成功囉！」

她很想破口大罵，但又忍了下來，別過頭去黯然說道：「謝謝，也祝你早日成功。」

他低頭繼續寫企劃書，好像不當一回事。當天下午她即請病假離開公司。其實那個週末，她根本沒回台南，自己窩在小房間裡擤鼻涕看悲劇電影，告訴自己：一切都結束了，別理那個愛蘑菇的王八蛋！

星期一回公司上班，中午她看到他像個沒事人一樣的挨過來，問她：「妳要叫哪一種便當？黑胡椒還是宮保雞丁？我幫妳叫。」

看她一臉沮喪，他又加了一句：「怎麼樣，相親有沒有成功呀？」

她眞想跟他說，大局已經底定，她要嫁人啦，可是他是她的同事，說這種話會有副作用的。萬一大家發現她在說謊，豈不更加難看？她不點頭也不搖頭，低頭玩手上的原子筆。

「相不成沒關係，別難過，」他嬉皮笑臉的說：「那表示我還有機會囉？今晚我請妳吃飯慶祝。」

他的心情似乎很好，表現得比平常慷慨一百倍，竟然請她到敦化南路上一家位於最高層的天幕餐廳，從大落地窗外可以清楚的看見遠方山頭上的星星。

她的心七上八下，心想，也許這呆頭鵝在她的刺激下終於頓悟了。可是爲了矜持，她還是得裝出憂鬱的樣子，她沈著臉說：「過五天就是我二十九歲生日了。活到了這麼大，才發現這世界上根本沒有人會騎白馬來……」

「噢，原來妳是爲了這個不開心，」他啜了一口葡萄酒，拍拍她的肩安慰她：「嗯，我需要一點時間想想。妳放心，在妳生日那天，我會盡量實現妳的願望！」

她生日那天是星期六，下午不必上班，一早，他神祕兮兮的走到她身邊，對她說：「我把車票買好了，一下班就動身！」

「……去……去哪裡？」

「妳不是說要騎馬嗎？」他對她傻笑，「我打聽到后里馬場有白馬，我帶妳去騎。前年在英國進修時我曾經受過騎術訓練，我可以教妳……」

♬

很多女人有同樣的困擾，男人在給承諾上，有的實在太小氣了。那是因爲，現在有的男人，一想到承諾，就想到責任；一想到責任，就想到責怪，所以能拖多久就拖多久，避之惟恐不及。

有的則是「既期待却害怕受傷害」的蘑菇派，曾經受過感情挫折，所以非常害怕再次表白。對自己根本沒有信心。

有的根本害怕婚姻，他們認爲一結婚代表失去自由、魅力不再，會從動物變成植物，有了小孩更會從植物變成礦物。

有些男人喜歡自己主動出擊，不喜歡被女人逼出口供，所以耍賴。

也有男人認爲一承諾他就跑不掉。

男人害怕承諾的原因各有不同，程度也深淺有別，但原因不外乎這幾種。

女人太急著表白，或要求對方給予對等的承諾，常會弄巧成拙。

我耳聞的例子如下：

有個二十三歲的女子大膽地告訴準男友：「我愛你。」結果他卻臉色大變，整整十天避不見面……

有個情竇初開的女孩問對她頗有好感的男孩說：「你對我是眞的還是假的？」結果男孩隨口回她：「我是跟妳玩的。」害她差點想不開。

其實男人是不想那麼早給承諾，有責任感的男人會想在時機完全成熟時才「啪達」一下阿莎力的承諾，這樣可以保證承諾的可行性。他們覺得「一諾千金」、不輕易承諾才穩固，不傷己，不害人。

但是機會在什麼時候成熟呢？

那妳可能要很有耐心。看誰憋氣憋得久。而且，還要察言觀色。

這個時代的女人挺累的。還要擔心Mr. Right臨陣脫逃。不過，女人大可以安慰自己：「如果他眞的那麼蘑菇，那也意味著，他對別的女人也不會亂許什麼承諾。」

如果你有一個「正向的頭腦」，凡事往好處想，一切都不太糟，不是嗎？

辛苦獲得的果實，也是比較甜美的。

有一回我和一位在美國念心理博士的友人聊天，她說，在短短時間內就要求女人給他天長地久的承諾，或急於和你「歃血爲盟」的男人，是比較有暴力傾向的。

也就是說，在奪取愛情上太aggressive（形容詞，意爲有攻擊性的）男人，未必是你所需要的家居好男人。

♬

一般男子無法理解承諾對女人爲什麼那麼重要。痴心女子常常掉入自設的陷阱，即使了解男人根本無法遵守他的承諾，她們還是會一直要求承諾，有時很像媽媽在教育小孩：「說，下次絕不會亂丟玩具」或「下次不可以說謊」一樣，明知孩子可能會繼續犯錯，還是得說一說。

女人的邏輯，男人常想不透。

女人比男人喜歡讓人費疑猜。

在感情處理上，大多數男人比女人實際，他們比較不喜歡依直覺去猜測對方眞正的意圖，也比較不花時間來思量彼此的關係，不會像女人，爲愛人的一句話百轉千迴、廢寢忘餐的分析：「那句話到底是什麼意思？」在十分鐘內作出兩種極端推論：「他愛我……呃，不……他不愛我……嗯，不，他還是愛我……」也不會因此打電話和閨中密友長談六小時。

有一位美國幽默作家即提醒女人：別以爲男人已明瞭妳與他之間的關係。如果他眞是呆頭鵝，妳就不要強迫他猜妳的意思，否則只會搞得大家不高興。比如說，他如果一直不記得妳的生日或情人節該送禮物，妳又非要不可，乾脆提醒他。別假惺惺的說：沒關係。他會以爲眞的沒關係，眞省事。

據統計，女人說話後頭的問號比男人多三倍，她們喜歡問：「你猜我今天做什麼事？」「你猜我是誰？」「你猜我想去哪裡？」「你覺得呢？」男人則比較少叫人疑猜。

男人其實不一定要猜，只要面帶微笑或保持耐心繼續傾聽就行。如果沒有相當把握最好不要猜，接電話時特別要注意。

有些腦筋動得快的男人已經注意到這一點。

我有一位甚受女人歡迎的男性朋友，就發展出一套「放諸四海皆準」的方式應對。只要有女人要他猜：「我是誰？」他一律斬釘截鐵的回答：「林青霞。」（有時是關之琳！）

沒有人怪他猜錯。

電話那頭只會傳來：「啊，你好死相！」的撒嬌聲。

有時，爲人女友的爲試試男友關不關心她，則會故意剪一點點頭髮或換上新衣服，問他：「你看我今天有什麼不同？」

粗心大意的男人常因看不出來而頭痛。

如果她因你猜錯而找碴，有一句話，即使很油腔滑調也很管用：「妳在我眼中永遠是那麼美麗，永遠沒有任何不同，天長地久都不會變。」

女人就是這麼喜歡口頭上的承諾。即使是假的，也一樣飄飄欲仙。

女人拿身體換承諾

拿身體換承諾，基本心態上是交易，而不是愛。如果我們把愛的層次定位得如此低，就不能責怪男人不尊重愛情。

說到交換承諾，我想到一個朋友告訴我的，一個有點顏色（黑色加黃色）的笑話。

從前從前有一個男人，事業失敗，家庭不幸，破產之後老婆跑了，親友全無，於是他就想一了百了。

他走到一個罕無人跡的山崖上，正打算跳下去的時候，有個聲音喊道：

「等一等，別想不開！」

他的眼前出現一個肥胖而醜陋的女人，哦不，那根本是一隻超大型的母癩蛤蟆，她的皮膚上都是令人作嘔的膿汁，一頭亂髮上還長著暗綠色的苔蘚。

他想，唉呀呀，我死了算了，別污染我最後的視覺。

「你一定是個失意的人吧！」她說，「別急，我是仙女，我可以給你三個願望。」

男人不可置信的看著她。「既然你都打算要死了，爲什麼不試試看？」

女人勸他：「我可以給你三個願望！」

「好吧！」男人心動了。他許下三個願望：

一、他要一個非常溫柔又非常獨立，非常美麗又非常貞潔的女人做妻子。

「好，我答應你。」

二、他要有一棟非常壯觀又非常精緻，非常古典又非常現代的城堡當房子。

「好，我也答應你。」

三、他想了想，「我要成爲一個非常龐大但經營起來非常簡單、非常賺錢又非常不要我操心的公司的大老闆。」

「好，我也答應你。」

天下有這麼好的事嗎？男人以充滿期待的眼光看著這個自稱是仙女的女人。

「但是……天下沒有白吃的午餐，你若想實現你的三個願望，得跟我做愛三次才行。」

男人忍痛捐出了他所有的男性尊嚴。

在三次「欲仙欲死」的熱情激盪後，他像一頭用盡力氣的驢子一樣，倒在草地上喘氣，等待仙女履行她的諾言。

沒想到「仙女」拍拍屁股，想要一走了之。

「喂喂喂，妳別忘了妳的承諾，我許的願望呢？」

「仙女」神祕且詭異的笑了笑，問他：

「你今天幾歲？」

「三十五歲。」男人據實回答。

「哈哈哈，我沒想到有人到了三十五歲還相信這種鬼話！」

♬

不管你從上述那個無厘頭的鬼話中嗅到什麼訊息，推演出什麼樣的寓意……

據我觀測，最少有一半的女人，還認爲只要交出最清白純淨的自己，就可以交換幸福的婚姻。

女人還是喜歡以做愛來換取承諾。

我一位男性朋友的慘痛經驗如下：他遇到一位看來觀念滿開放，在第一次碰面後就主動約他，並且以各種細微動作挑逗他的欲望的女人。雖然他覺得這個女人「差強人意」（勉強還可以而已），但因爲他很久很久沒有女朋友，所以他同意有進一步的交往——

一上了床，平日的豪放女忽然變得拘謹萬分，動作死板，並不如他想像中熱情奔放。一番「勉強還可以」的纏綿後，他下床準備穿衣服時，她竟幽幽嘆了一口氣，問他：

「你會不會對我負責？」

他全身鬆軟，近乎癱瘓。結結巴巴的回答：「我……我……我有戴……

那個呀，不會有事的——」

該女子厲色道：「我不是那個意思。哼，你別想一走了之！」這件事件拖到該女子找到下一個「可能的結婚對象」後才風波平息。他被廣爲宣傳是「負心郎」，叮得滿頭包。該一夜風流的豔史也在此名女子「損人不利己」的傳播下廣爲流傳，越傳越難聽。

害我每次看到他都得憋住氣，免得自己爆出太不給面子的笑聲來。哈哈哈。眞是識人不明。

看來，有些女人潛意識有一種根深柢固的交換概念：我如果跟你怎樣，你就得娶我，並且保證給我幸福。有這種觀念的還不一定是處女。想法簡單的男人很難理解這種情節。

女人這個想法的來源，可能來自幼年經驗、青春期所受的恫嚇或連續劇情節的影響。

女人從來就被教育：把身體「給」男人，一定是女人吃虧，所以一定要向他求償才公平。

我已聽過現代的新男性發出不平之鳴。比如上述那位中了某種「精神上的仙人跳」的朋友，就忿恨不平的說：「爲什麼我要負責，我們男人在做那件事的時候很費力呀，我覺得男人比女人費力多了，應該是男人吃虧才對！」

有人說，女性「情欲自主」的意識再提昇的話，類似事件若發生，第二天早上可憐兮兮問：「你會不會爲我負責？」的可能是男人。可是我想，一百年內這個角色應該不會互調才是。

♫

對身體與承諾之間的關係，中外看法有相當大的歧異。有一個外國女孩告訴我她的「新發現」。

一位來台學中文的美國女孩Mary，和一位與她同是二十七歲的女研究生同居一室。有一陣子她發現自己的室友茶不思飯不想，幾近形銷骨毀，出於關心，她建議室友看看醫生。不過，台灣女孩卻哭了起來，說：她沒病，只因爲男友離開了她，她連跪下來抱著他的腿都無法挽回他的心，所以才難過成這個樣子。

Mary學以致用的告訴室友，天涯何處無芳草，但室友卻反駁：她和男友之間，除了沒有一紙結婚證書外，什麼都有了，她實在不甘心這樣讓他「逍遙法外」！Mary當然聽懂室友話中之意，她本來想聳聳肩說：「So what?」但驚覺中西女人的觀念如此不同，不敢妄下評語。

Mary說起她的美國經驗，二十六歲那年，終於有個看得順眼的帥哥追她，她感覺這一次「即將有羅曼蒂克的事發生」，可是私底下她惶恐得不得了，到處問「有經驗」的人說：「如果他發現我到二十六歲還是處女，他會不會不要我？」

「妳和他的性關係很差嗎？不然爲什麼那麼懊惱？」她問室友。她實在沒有辦法理解「第一個使用者必須負擔女人一生」的中國式愛情觀。

中外觀念如此不同。我在讀《每個女人都該冒一次險》這本翻譯書時，看到某一段文字，忍不住笑了出來：

一羣英國女人在做「心靈溝通」時，一個女人煞有其事的警告密友們：「我要告訴妳們一件事……但如果妳們有人說出去，我打賭我會殺了妳們！」

什麼事呢？

「我……今年二十四歲，還是處女！」

因爲她覺得，一定沒有任何英國女人像她一樣在二十四歲還是處女，太可恥了。

♬

Mary感到啼笑皆非的問題，也是我在各大專院校演講後碰到的問題，當然前來詢問的女學生都說是替室友或同學問的。狀況發生的原因，都是因爲「女生想把性留到婚後」而「男生堅持要」，最後女生「把持不住，怕不給他之後，他會找別人，因而妥協」，給了他又認為他一定得娶自己，不管戀愛談得多差——在如此心態上，性對女生不是享受，而是一種身心煎熬與掙扎，一種交換。

女人在沒有學會「自己為自己的身體負責」以前，想要談男女平等是痴人說夢。拿身體換承諾，基本心態上是交易，而不是愛。如果我們把愛的層次定位得如此低，就不能責怪男人不尊重愛情。

不久前某文教基金會指出，不能接受女性婚前性行為者有五成四，我想，至少有一半的台灣女性，還是希望「以身體換承諾」——你保證娶我我才給你；但現今實際上在婚前有性行為者，必定超過此數——怎不叫人憂心台灣女人的「行為開放，思想保守」？

我不是主張你一定要有婚前性行為（老實說，你要不要有婚前性行為，那是你的事、你的決定，我贊不贊成有什麼關係？）但我主張，不論男女，一個成熟的人就該為自己的身體負責，別像小孩一樣哭嚷：都是你害的！那無助於美滿姻緣，也不公平。

若接受性邀約，就得自己負責；不想，別怕他因而離開，因為這樣的男人也不值得愛。性是上天賜給每一個身體的禮物，不是婚姻的交換品。

♬

如果妳眞想跟他結婚，而且很確定他若不想娶妳，妳根本不想給他，那麼，乾脆開門見山的說好了：

「如果你想和我發生關係，必須先跟我結婚、結婚、結婚、結婚啊！」

這種坦率的態度，比「引君入甕」後再死纏爛打好多了！

有人外遇只是借力使力

女性一有外遇，比男人更敢愛敢恨。男人在處理外遇時，比較優柔寡斷，常會兩邊放不下，天眞的希望兩邊和平共存。

你身邊有這麼一隻倒楣的兎子嗎？
不如放生吧！

鄧紀年生時瀟灑，走時也瀟灑。與他認識多年的她，竟然不知道他有先天性心臟病。

慧良在和他分手時，早已約定，生時不再相見。鄧紀年是個體貼女人的男人，懂得如何以誠摯的眼神爲她帶來驚喜，不可否認，和他談戀愛充滿了刺激感，但是，由於他是她的頂頭上司，且是有婦之夫，慧良跟他在一起的日子，也如舟行險灘，時時提心弔膽，生怕有人讀出了她的祕密。

她是他的秘書，因而有不少機會和他共處，比如說，出差，他就完完全全變成她的，他們總是訂兩個房間，而其中一個只是備而不用；上班時，他在人前對她大公無私，有時甚或會疾言厲色，當她哭紅了眼睛，他又會傳喚她到私人辦公室談話，以頑皮的嘴唇吻她的淚痕，以愛情的魔法讓她破涕爲笑。

慧良愛鄧紀年，愛得無法招架，但她也深知，鄧紀年是個她無法掌握的男人，即使他肯爲了她離婚，她未必能平平穩穩的與他共度餘生。所以一年前，她決定從捆縛她的愛繭中走出來，她回高雄找到了工作，相親，從此安居樂業，過著她不怎麼滿意但也毫無風險的生活。

「鄧太太，請節哀。」慧良看著兩眼紅腫的鄧太太，一股難以言喻的愧疚感浮上心頭。

鄧太太四十開外，全職家管，看來賢良敦厚，一點心機也無。看到鄧紀年的屬下們來問候，端出家中糕餅殷勤招待。

鄧紀年去世已三月餘，此時來訪，似又爲平靜的湖面投下石子。已經不傷心的人，忽地又傷心了。

天高皇帝遠。慧良一點也不知道這個噩耗，還是當公司的小工讀生小莉打電話來，問她要不要一起去鄧家探望，慧良才恍然明白。

曾經愛得死去活來的人，早已不在人間，而她竟然一點也沒有知覺，實在是人生一大諷刺！而這一份除了她與鄧紀年之外，沒有第三者知道的愛情，恐怕將隨鄧紀年灰飛煙滅後，成爲她心中永遠的祕密。基於一份緬懷舊情的心理，她和小莉連袂帶了禮物探望鄧太太。

鄧氏夫妻並無子女，本已平靜的鄧太太在訴說夫妻之情時，忽而激動了起來：「其實，獨居也很習慣了。他那個人一向只顧自己，也不准我多問一句，結婚二十年來……我也不敢管他在外面做什麼……其實去年還是前年，有一陣子我覺得他在外面搞得太兇了，我眞想離婚！」

溫柔的鄧太太說出這樣的話來，使慧良羞澀的低下頭去；坐在她身邊靜靜傾聽的小莉，聽著聽著也臉紅了起來。

「可是……他這個人，唉，偏偏那麼……他就是有辦法把我管得死死的，那天，他喝得一身酒味回來，我正想跟他掀底牌，他却把這個戒指送給我……」

鄧太太拆下手上那只戒指，拿給慧良和小莉，她倆的視線一接觸到「獻給我唯一的愛」那行字時，情不自禁的顫抖了。

鄧太太聲淚俱下，「他走了，只要我一天戴著這個金戒指，我就欠他一輩子情……現在我才懂得反悔，是我自己對他太冷，兩個人才一直熱不起來，其實他是那麼愛我呀……妳們還年輕，記得，有些男人外面是冰，裡面是火，女人可要先化了他外頭那層冰才行，別像我，等來不及才知道自己的錯……」

兩人唯唯諾諾，謹遵前輩教誨。慧良咬著唇，企圖不要讓祕密從自己顫抖扭曲的唇吐出。那個戒指，她是見過的。她與鄧紀年開始來往時，鄧就把刻著這一行「愛的盟誓」的戒指送給她，使她無限感動。她決定分手時，才將它物歸原主，沒想到這「唯一的愛」轉而獻給鄧太太。

如此這般，不知是不是好事一樁？慧良決定讓祕密成爲她一個人的祕密，就讓鄧太太對她「情深似海」的丈夫感念在心吧！雖然，她的心中也有些許不甘，讓鄧紀年又借花獻了佛。她還記得，那時鄧紀年口口聲聲苦苦宣稱，他的愛情從此被埋葬了。

好不容易走出鄧家門。慧良快步向前走，小莉則跟在她身後；慧良聽到啜泣聲猛然回頭，看見小莉哭得像淚人兒似的。

「喂，妳眞是感情豐富，一個戒指的故事就讓妳如此感動？」

「不是，不是，」小莉把手伸進口袋裡，摸出一個金光四射的小東西，放進慧良掌心，「是因爲我有另外一個戒指……」

「嗯？」慧良簡直不敢相信自己的眼睛，兩個戒指長得一模一樣，也同樣刻著「獻給唯一的愛」！

「妳……」她抬頭，以不可置信的眼神看著這個才剛滿二十歲、青蘋果般的小女孩。

「我想……我被騙了，慧良姐，鄧先生去年給我這個戒指以後，我很感動，才跟他在一起的呀……」慧良還在思索如何安慰，小莉又抬起頭來，問她：「慧良姐，我好怕，鄧先生是在和我分手後開車回去的途中心臟病發作的……我有沒有罪呀？」

♬

有些外遇未必是眞外遇。

我的意思是，未必是眞的愛上外遇對象。

女孩剛踏出社會時，常會愛上已婚男子。因爲他們比較「見得了世面」，談吐舉止花錢和氣度可能都勝於和她們一般青澀的年輕男子。然後愛得死去活來。談這些「愛上一個人就得和全世界對抗」的戀愛似乎很淒美，但事過境遷之後常怪自己糊塗，但願自己不曾飛蛾撲火，不知當初那般壯烈爲什麼？

我無意跟大家異口同聲譴責第三者。第三者過的日子可能是三個人中最苦的。

但是，仔細看看外遇，大部分並非因爲眞正愛上了外遇對象。

有的是因爲婚姻本身有問題。有的是習慣性外遇（這類人會在女人面前數落自己的妻子不了解他，或抱怨太太使自己的日子過得很壞，恨不相逢未娶時，使婚外情對象飄飄然）。

有些只想證明自己還有魅力。

有些在潛意識中想追回已經逝去的青春。

有些男人的外遇只是借力使力。

這樣的例子很多，除了當事人之外，旁人可能百思不得其解。

一個男人因爲外遇而造成離婚戰爭，離婚前，元配和第三者爲爭取這個男人而互相憎恨、互相較勁；離婚後，兩個女人都成了失敗者；因爲那個男人娶的不是第三者，而是另外的女人。

這時候，元配可能會幸災樂禍：「哼，我看他根本就是喜新厭舊。」第三者則發現自己很冤，簡直是爲人作嫁，白費力氣。

明查暗訪有這種經驗的再婚男子之後，我發現了一個事實：經過上述離婚戰爭的男子常發現，當他們歷經雙邊疲勞轟炸得到自由後，才覺得「愛情誠可貴，自由價更高」，不急於戴上另一個婚姻枷鎖，而在激烈的離婚戰爭中，他們也看清了「第三者」的眞實模樣。離婚後，一失去阻力，愛情也同樣失去了魔力。

「我的外遇只是在借力使力，藉一個女人逃開原來的女人。」朋友S君回想那段過程，分析自己的潛意識，「我只是覺得自己再也不能忍受跟前妻住在同一個屋簷下，想找個人助長我的決心離開而已。前妻發現我有女朋友，變得歇斯底里後，使我們的相處變得更不可能，使我更有離開的理由。我想造成『我不得不離開』的事實，這樣我就會變得比較有根據。」

另外一位因外遇而離婚，又在不到三個月的時間內和外遇對象分手的L君也承認，「事實上我一點也不想娶我的外遇對象，論條件和脾氣、教養，她都比我的前妻差，我只是不想再受前妻的控制而已。」

H也表示：「當初和M（第三者）一起打離婚戰爭，想來並非覺得她適合我，只是因爲我和前妻再也沒有感情了。當你喜歡你身邊女人時，你看到的是其他女人的缺點，反之，你會很容易看到其他女人的優點，而不是M眞的那麼好。」

男人比女人更不願面對自己感情生活中的眞正問題。夫妻關係一亮起紅燈，男人常悶著頭不做良性溝通，天眞的藉外遇以毒攻毒。就好像唐吉訶德，爲了假想中的公主向風車宣戰，打得頭破血流，還不知道眞正出了問題的根本就是自己的腦袋。

借刀殺人，並不是解決婚姻問題的好方法。如果那個問題根本就在於男人本身的個性和溝通模式上，那麼，不管結幾次婚，遇上什麼樣的女人，問題還是永新而長在，只不過在第三次婚姻中，男人的忍耐力又增強了而已。

♫

談到外遇，在本地大多數是男人外遇。

不少走過婚姻的女人還是將後半生的力氣賠在婚姻裡，繼續「關心」負心漢或譴責負心漢，死而後已。

其實，不是男人獨愛外遇。四百年前，唐吉訶德一書就有一句值得玩味的話：「女人只是機會較少而已。」

我看過有關女性外遇的一個報導。

女性一有外遇，比男人更敢愛敢恨。男人在處理外遇時，比較優柔寡斷，常會兩邊放不下，天眞的希望兩邊和平共存。而發生外遇的女人，在東窗事發後，百分之七十毅然選擇第三者，丈夫、兒女皆可放棄。

看來，女人一味譴責男人「喜新厭舊」，並不公平。

小心！喜馬拉雅山的猴子

坦白，不一定好。有人說，親密愛人或夫妻之間，應該無話不說，事實上，一定得看情況，有些事，千萬別大嘴巴。某些事情，絕對要堅守「打死不承認」的原則。

我記得一個作者佚名但很有名的故事——喜馬拉雅山的猴子。

從前，在喜馬拉雅山脚下的小小村落裡，來了一位仙風道骨的老人。他向全村村民宣告，他會一種可以點石成金的法術，不過，天下沒有白吃的午餐，想要學這套法術的人得先把家中最值錢的東西拿出來當學費才行。

村裡的人實在窮怕了，人人都想發財想得發瘋，大家商討了一下：既然可以學會點石成金術，那麼，先犧牲點學費有什麼關係呢？（當然，他們的邏輯頭腦没你聰明，不會如是想：如果老人眞能點石成金，還收學費做什麼？）

於是他們虔誠地交了學費，集合起來聽老人教授這神奇的法術。只聽老人呱啦呱啦念了一大串咒語，然後就把蓋在木桶下的石塊變成了閃亮的金子。

「快教我們吧！」每個人的喉嚨深處都發出飢渴的聲音。

老人不厭其煩的將咒語教了村人，當連村子最笨的人也能背誦咒語之後，他很滿意的告訴他們：「你們等明天日出的時候就可以開始做實驗了。我保證各位都可以把沒用的石塊變成亮澄澄的黃金，不過，你們可要記得呀——念咒語的時候，你們的腦子裡千萬不要想起喜馬拉雅山的猴子。」

「絕對不會！」村人異口同聲的回答。黃金跟喜馬拉雅山的猴子有什麼關係呢？老人眞是無聊，他們哪會想起喜馬拉雅山的猴子？

可是……

一千年過去了，現在如果你到這個村莊，作者說，你還是會看到不少人把石頭蓋在木桶下喃喃自語，「努力」地不要想起喜馬拉雅山的猴子。

他們始終沒有煉出黃金來，但也沒有人能怪老人說謊，因爲每個人都得承認，他們越想告訴自己不要想起那些猴子，就越是想起那些事不關己的猴子。

我們的頭腦中，也常常有這些幻想的猴子。

「告訴我你以前有多少女友，沒關係，我不在乎——」

（或者「我是妳第幾個男人？沒關係，我不是小心眼的人，誰沒有過去呢？」）

問話的人非常誠懇，答話的人也就相當坦白。然後，正中人性的要害。

當午夜夢迴時，這些他或她說「沒關係，我不會在意」的歷史，就變成一羣喜馬拉雅山的猴子，在他腦袋裡搖出一幕又一幕的幻想電影：你和前任男友（或女友）是最佳男女主角……最糟的是，他腦海裡上演的可能是A片！唉，於是第二天，他開始翻舊帳，要不然，就給你臉色看——

如果他夠理性，猴子們會隨時間而減弱活動力，但萬一，他不肯善罷甘休，猴子猴孫可能世世代代繁衍不斷！

情人間要謹防喜馬拉雅山的猴子，朋友間亦然。那種「喂，我有句話不知道該不該講……你不要在意我才要講——某某人說你……」的發語詞，正是在你腦袋裡養猴子的最佳方式。

你很好奇没錯，但得考慮，你是否眞不受三姑六婆影響？不會嗎？別太篤定。舉個例子說好了。請問，你家附近每逢假日是否常有「土窰雞、土窰雞，又燒又好吃的土窰雞……」或「芋仔冰、芋仔冰，台中草湖的芋仔冰……」的廣告車呢？它們擾人清夢，一定不被你歡迎，當然你更不會想背它的廣告詞囉？

偏偏，你的腦海在「百聞只好背下」的情況下，常常被它制約了，聽久了，就可以很順的和廣告噪音一起背誦下去。

讒言原來也一樣，說久了就變得根深柢固，進入你的意識深處。就像古賢人曾參的母親明明了解自己的兒子，聽人說三次「曾參殺人」，也只得慌慌張張的想爬牆逃走！

小心！別讓任何人在你的腦袋裡養了喜馬拉雅山的猴子！

♬

我應不應該對他坦白？很多女孩在決定和一個男人深交後都有這樣的疑惑。依我看，這不能一概而論。老實說，有些事情坦白之後，妳會死得很慘。

我在《認眞玩個愛情遊戲》一書中提過，有一個女人，在男朋友向她求婚後，她決定對他坦白。把過去所有的愛情歷史全部告訴他。包括她和歷任男友發生關係。

她答應了他的求婚，並向一身慾火已完全燃燒的他要求坦白自我的過去，男人此時除了上床，什麼也不想，只希望她趕快說完她的話。「待會兒再說，可以嗎？」他輕咬她的耳朵囈語著。

「不，」她堅決要先講：「我答應了你的求婚，從此就是你的人，我把我的過去做交代，這樣，我可以和過去做個了結。」

「你不在意吧？」她小心翼翼的問：「我保證不跟任何人來往了。」

「當然不在乎，」男人擁抱著她，拚命的親吻她，像撿回一隻失去的小羊的牧人，「只要妳在我身邊，我什麼都不在乎，有妳，我心滿意足。」

她因爲將過去向「良人」交代而覺得身上的重量輕了很多。但是，她完全沒有想到，他並不是眞的不在乎。他當時可能眞的不在乎，在結婚後，越想越在乎，常常不自覺的以言語譏刺她「經驗豐富」。最讓她無法忍受的是，當她懷了第一個孩子，喜孜孜的告訴他時，他竟然譏誚的問：「妳確定那是我的嗎？」

後來，他常常出去喝花酒，她一吵鬧，他也會以此爲藉口回嘴，說：「大家彼此彼此？」

非常惡劣，可不是？但是，人人都有翻舊帳的本能。修養好到不翻舊帳的人，如今確是稀有動物。

除非你毫無愛情經驗，否則如果你堅持向另一半百分之百坦白，等於是在和人性的弱點作戰。坦白，不一定好。有人說，親密愛人或夫妻之間，應該無話不說，事實上，一定得看情況，有些事，千萬別大嘴巴。男人也一樣。某些事情，絕對要堅守「打死不承認」的原則。除非你百分之百確定他是不翻舊帳的現代聖人。

♬

也有些女人會假裝寬宏大量，告訴她的男人：「你可以拈花惹草，但不能發生眞感情。」

據作家苦苓觀察後表示，那是假的。至於「你可以和年輕女孩發生感情，但不能發生關係。」他認爲那更是假的。

我同意。

雖然從前的女人忍了很久很久。但那絕對是一種壓抑，絕對不會眞的船過水無痕，眞的沒關係。

只是有人忍了一輩子沒機會爆發而已。忍字頭上一把刀，刀子藏在心脈裡，一定割得好痛。

當然人們理想上希望，夫妻彼此到死還能賭咒說「你是我的唯一」。

但若「一不小心」或「不得已」逾越誓言，要不要百分之百招供，可要三思而後行，視對方寬容度而定。

到大學演講時，我常遇到一個問題。

男孩投訴女孩苦苦拿他早已分手的前任女友來相比。

女孩苦惱男友動不動拿她以前的男友翻舊帳。

相愛的人，眞應該一起賭誓：以前種種譬如昨日死，今日種種譬如今日生。

談戀愛，把握這一次吧！

一個園丁的故事

她心血來潮想看看過去的男友們過得好不好？經過一連串的尋人過程後她發現，自己錯過了不少值得「珍藏」的男人：原來，少女時期種種刁難與挑剔，只不過在替別的女人栽培好男人。

男女溝通不是說服

每一株玫瑰都有刺，正如每一個人的性格中，都有你不能容忍的部分。
愛護一朵玫瑰，並不是得努力把它的刺根除。
只能學習如何不被它的刺刺傷，還有，如何不讓自己的刺刺傷心愛的人。

你知道刺蝟們怎樣才能談情說愛嗎？
答案是兩隻都得收起刺來，
用柔軟的腹部♡♡♡♡……

「男女溝通」越來越流行，這股新時代的溝通魅力，也感染到不少老夫老妻。

有一天，她有感於父母之間的相敬如「冰」不是辦法，看見對面陽台上那對新婚夫妻正搬了桌子出來，享受春天的陽光，一邊喝咖啡一邊聊天，十分悠閒，就努力的說服她的父母效法人家。

說破了嘴，她的父親終於同意去搬桌椅，她的母親則羞澀的說：「好啦，我去泡茶。」

沒想到兩人坐在陽台上默默喝茶，像兩尊雕像，一句話也沒說。

「爸，你看看人家，說話說得多開心……學學人家嘛。」

她指著對面陽台的新婚夫婦對自己的父母親說。

「好吧，」他的父親一本正經的站起身來，說：「我去打電話問問他們有什麼好講！」

「男女之間一定要能溝通」，這句話常掛在每個自詡爲現代男女的口頭上，「溝通」似乎成了避開婚姻暗礁的萬靈丹。但實際上，想溝通，卻越溝越不通，進而演成吵架的不可勝數，被溝通卻不眞正心悅誠服，進而產生恐懼感的也大有人在。

「我一聽到他振振有辭的提出『溝通』的要求，就會心跳加速、表情木然，心想，我又哪裡做錯了？他又想來改變我什麼？如果他在晚飯前向我預告：今晚我們來溝通一下，我就會變得食不知味……」這是一位受過高等教育，目前擔任家管的女性發出的抱怨。她的先生是某公司的高級主管，自從上過幾堂「人際關係」的成長課程後，動輒回家溝通，起初兩人的關係的確因講出「眞心話」而改善，但後來做妻子的對溝通越來越反感，原因出在：「我的口才比較差，思路也沒有他清楚，所以每一次都是我被說服。」

現代人，人人想成爲說話高手，想藉言語來掃除蘊積在心中的不滿，但却忽略了溝通的目的是爲了和諧的相處，不是證明自己對就算了。在辦公室裡，上司找屬下溝通常是爲了說服，但在家庭中或情人間，可不能以此類推，否則會造成「雖然如願以償，實質上已造成親密關係的重大傷害」，越溝通，越生鴻溝。

夫妻與情人之間當然得不時溝通，但私人性的溝通需要相當的技巧，絕不可拿出在辦公室裡的一板正經，語氣儘可能柔軟，最好能喻有形於無形，不必開門見山的表示「我們來溝通一下」。在軟性溝通的過程中，儘可能讓對方也有機會和緩的陳述自己的意見，雙方也都有權利「虛心接納他人意見，堅決不改自己看法」。

如果在言辭之間挑戰到了他的自尊心，不妨以眞正的萬靈丹——讚美來開頭。甜言蜜語人人愛聽，鼓勵的功效遠勝於批評，不要讓任何負面的言語不自覺的從舌頭滑出，這才是夫妻、情人雙向溝通的正面意義，對方也不致一聽到「溝通」二字，腎上腺素便分泌驚人。

溝通不是說服，眞正了解感情溝通意義的人，必須先做好心理建設：

● 不以情緒性字眼攻擊對方缺失。
● 盛怒時先遠離現場，不要在盛怒之下溝通。
● 假設你不一定是對的，替對方想一想。
● 如果不能「雙贏」，至少對方可以贏，至少不能雙輸。
● 別祭出老祖宗的教條，說：「妳們女人就應該」「你們男人就應該」或「既然你愛我就應該……」，試著以「如果你怎麼做我會覺得很快樂」的祈求語氣開始。沒有人喜歡被命令，但人人喜歡被請求幫個小忙。
● 先把面子問題放在一邊，也別太急著討好別人。
● 微笑的嘴角和堅定的眼神是必須的，有時還得配合表示友善的肢體動作。男人安慰男人時會搭肩，女人安慰女人時會輕輕拍她肩膀，或抱住她的頭，擦掉她的眼淚；爲什麼男女朋友在溝通時總像談判桌兩邊的對手？

♬

如果愛意完全被恨意掩蓋，那麼，再怎麼溝通也來不及了。我們必須承認，溝通在愛情之中並非萬能。

有一位美國女作家曾經說過：「沒有比永遠不可能再相愛的兩個人，住在同一屋簷下更可怕的事。」

有些人因離婚率越來越高而憂心忡忡。其實，往光明面看，離婚不一定是壞現象。它至少表示了現代人越來越明白：「留不得、捨得」的道理，懂得爲自己被堵塞的人生路謀出口。

曾經相愛的人未必都能天長地久。俗話說，當媒婆的只管撮合姻緣，並不包生兒子；愛神的箭促使兩人爆出火花，但不保證一定能相處。

愛情就是這樣。

《東京愛情故事》的作者柴門文，曾把戀愛分爲「戀」和「愛」兩個階段：

她說：「戀容易冷却，愛非常頑強。」

剛開始的情投意合，都是戀。戀是容易的，愛則要經過千錘百鍊。但願那千錘百鍊的過程，是溝通的過程。像園丁，鏟去花圃中的雜草，使一園玫瑰長得更好；而不是日復一日把可能盛開的花苞都剪掉。如果玫瑰已死，剷除雜草就不必需了。

每一株玫瑰都有刺，正如每一個人的性格中，都有你不能容忍的部分。愛護一朵玫瑰，並不是得努力把它的刺根除。只能學習如何不被它的刺刺傷，還有，如何不讓自己的刺刺傷心愛的人。

在所謂「先進國家」，心理醫生或婚姻諮詢顧問常扮演「化險爲夷」的中介者，很可惜這兒幾乎沒有這種「媒婆」，只能靠當事人摸索溝通技巧，摸索中，刺得滿手血是難免。

我聽過一個因婚姻諮詢專家協助溝通，才使破裂的婚姻恢復生機的例子。

結婚十年的一對夫婦，因先生五年前的一次短暫婚外情，夫妻之間變得相敬如冰，兩個人都很痛苦，妻子難以忘記過去的傷痕，但是他們又不願意離婚。

這種「不離不棄」（不願離開、又不願意放棄過去的傷痕）在戀人和夫妻間都很常見，如此狀況並非一無生機。

婚姻顧問使用了「聲東擊西」的方式，避免兩人尖銳的對立，他要求男人和女人回去各準備兩樣東西，第一樣東西表示外遇事件發生時雙方的感受，第二件東西象徵該外遇對目前生活的影響。

幾天後，男人帶來了一張父親的舊照片，和一個養老鼠的轉輪式籠子。女人帶來一張當時被她撕成兩半的結婚照和一瓶苦酒。

女人的東西容易解釋：撕裂的婚照代表外遇發生時她的痛苦與憤怒，

苦酒象徵她還忘不了那種苦。

男人帶來的東西大有玄機。

「我的父親就不斷的有外遇，所以潛意識中我以爲有外遇的人才是男子漢。」他說。老鼠籠呢？「我覺得我從那件事發生後就像一隻老鼠，跑來跑去累個半死還是回到原點，什麼也沒得到。」

女人笑了，原來有外遇的老公並不快樂。

外遇事件後，他們第一次得以相視而笑。相互以笑容融化彼此臉上的冰霜。

如果不想再壞下去，只有求好。求好需要兩相情願的溝通。

愛情關係經過「重新評斷」可以更新生命力。

最怕那種「寧爲玉碎，不爲瓦全」、又不肯捨棄的人，徒然鬧得雞犬不寧，大家痛不欲生。

♬

有人問我，什麼是新好男人，新好男人要有哪些要件？
我的答案很簡單，新好男人要懂得與女人溝通。
新好女人呢？
聰明的你，用膝蓋想也知道。
溝通說起來容易，做起來也未必難，只要兩人都願意練習。如此，相愛容易，相處也不難。

戀愛前也需要心理建設

如果你眞的愛上一個人，你知道你在對他做什麼嗎？

愛情以互惠爲原則。互相得給予恩惠方能長久，且要多給他一點自由。

有些人習慣當飛蛾，
所以把每個愛上他的人都變成蠟燭！

談生涯規劃的專家，在某種程度上和所謂「戀愛專家」（對不起，我眞的不想被套上上述頭銜）一樣，常是「睜著眼睛說瞎話」。

怎麼說呢？因爲，每個人的人生和戀愛一樣，都是個案，絕對不可和芸芸衆生的其他人一視同仁。還有，都不是你想怎麼就怎樣。更不能依靠「多數決」。

某些人的肉是某些人的毒藥。西方俗諺這麼說。每個人所聽到的人生召喚都不一樣，所要詮釋的人生意義也大不相同。

往往期待越深，挫折越大。

除了努力，多少靠點運氣。不是步步爲營就可以。

而在人生膠著處和戀愛沸騰時，再理智的人都會兩眼全閉。

但我並不排斥所謂的理性規劃，只想幫它們改個妥切點的名詞。也許，目前極爲熱門的「生涯規劃」甚或「感情規劃」，應該改爲「生涯心理建設」和「戀愛心理建設」。

●不保證成功，但得在踏出第一步時深切明白，如何面對失敗。

●可以懷抱希望，但在希望不符所望時，懂得如何讓人生轉彎。

●沒有「HOW TO」指引，但必須學習與人性共周旋的技巧問題。如此才能在人生中與社會、家庭保持和諧，却不爲社會、家庭所控制——這是美國心理輔導專家約翰·布雷蕭對「成熟」所下的定義。

唯有成熟的人，才能在自利的過程中不損折他人；在愛情的旅程中，和自己所愛的人攜手共同成長，而不是同歸於盡。不會斤斤計較得到與失去、愛與被愛間多一分少一毫的問題。

●最重要的是，你到底想做什麼？你眞正愛上了你要做的事嗎？是打從心眼裡愛它，還是爲了別人的掌聲才愛它？你在實現你的理想時，是否感到熱情澎湃、雖苦猶甘，彷佛頭上長了光環？

你遵照的路徑，是否無違良心？

♬

大多數想開始生涯規劃的人，多半茫茫然然，只想從所謂專家處得到開啓自己生命之門的鑰匙——那無異於緣木求魚。因爲，眞正的答案只在你心中。

除了你，沒有人有能力透視你的生命。除了你，沒有人能度量你的生命潛能。當然，除了你，也沒有其他人能使你的人生誤入歧途。

你到底想做什麼？

我在沒有仔細問自己這句話之前，曾經渾渾噩噩的做了好幾段啼笑皆非的「生涯規劃」。

高中畢業那年，在偶然的機緣裡，我讀了美國著名律師丹諾的自傳，於是決定我自己可以做一個在法庭「耀武揚威」的律師。我考上了台大法律系，兢兢業業念了四年之後，只深切的體會一個事實：我對法律既乏熱情也無耐心。

是的，那時候我感到生命乾枯而飢渴，我在《六法全書》裡找不到人生的出路。畢業那年多少有點不甘心，但又在從小許願拿到高學歷的驅使下，決定繼續念碩士，我跳槽成功，又考上了同校的中文研究所。

讓人汗顏的是，念了三年中研所，拿到了碩士學位後，我發現我不適合念中研所，對考據與寫學術論文，興趣缺缺。

不知何去何從的我，莫名其妙進入社會工作後，碰運氣出版了第一本書，我才發現自己獨斷愼行的人生規劃全然錯誤。我從沒選擇過寫作，老實說，是寫作在召喚我，選擇我。

走過的路即使並不正確，但根本不必後悔，因爲懊悔只是浪費時間而已。我對自己感到欣慰的是，我畢竟在嘗試錯誤的路途中仍勉強自己學了點東西，雖然事倍功半，但並沒有太勉強自己走下去。否則，否則，那我一定成爲一具終生不快樂的行屍走肉。

人生問題很微妙，有時得勉強一下自己，有時却不能太勉強自己。

費盡力氣訂定生涯規劃表之前，得先問自己內心的聲音：你會快樂嗎？這可眞是你所要的？

♬

幾年前，我曾到新疆拜訪音樂家王洛賓先生。八十多歲的老人，先後受盡國民黨和共產黨的黑獄折磨，身子依然硬朗，精神也很健康，他笑盈盈的說：

「音樂是我的宗教，愛情是我的信仰，不管在何時何地，只要你知道自己在做什麼，就是擁有了自由。」

你知道你在做什麼嗎？如果明白，那麼「生涯規劃」就不只是個勉強套上的枷鎖，你才能擁有眞正的自由。

那才是自由的眞諦，人生到了這樣的層面才能暢快呼吸，才不會在成功後依然感嘆：是非成敗轉頭空，悲歡半點不由人。因爲生命只是過程，不是爲了追求目的。

愛情也是一樣。

如果你眞的愛上一個人，你知道你在對他做什麼嗎？

愛情以互惠爲原則。互相得給予恩惠方能長久，且要多給他一點自由。

如果他稍一自由就想逃走，那也不叫愛了，你留他做什麼？你不是籠子，他也不是困獸。

多一點理性，會使感性更美好。

我如此相信著。

轟轟烈烈

年少時轟轟烈烈的愛只宜在
記憶中瘋狂
時光裡收藏
想要久久長長
必得有耐人尋味的淡淡芳香

沒有戀愛談的人生是悲慘人生。

不斷談戀愛的人生是坎坷人生。

只談一次戀愛可能是完美人生也可能是無聊人生。我想，能談幾次值得紀念的戀愛，應該是最愉快的人生吧！

有時，一個女人，一生遇上一、兩個壞男人，只為了明白後來認識的那個是好男人，男人亦如是。不要對戀愛太早失望啊！

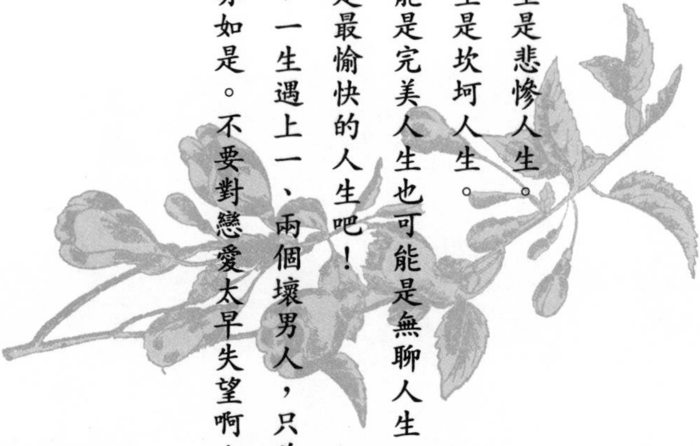

國家圖書館出版品預行編目資料

眞愛非常頑強／吳淡如著. --初版. --臺北市
：方智, 1996〔民85〕
面；　公分. --(愛情生活系列；48)
ISBN 957-679-412-9 (平裝)

1.戀愛

544.37　　85007323

ISBN 957-679-412-9

方智出版社
FINE PRESS
◎愛情生活系列 48
眞愛非常頑強

作　者／吳淡如
發 行 人／曹又方
出 版 者／方智出版社股份有限公司
地　址／台北市南京東路四段50號6F之1
電　話／五七九六六〇〇(代表號)
傳　眞／五七九〇三三八・五七七三二二〇
郵撥帳號／一三六三三〇八一　方智出版社股份有限公司
登 記 證／行政院新聞局局版台業第四三六一號
責任編輯／林俶萍
美術編輯／黃昭文
校　對／吳淡如、謝翠屏、林俶萍
法律顧問／詹文凱律師
印　刷／祥峯印刷廠
一九九六年八月　初版
一九九六年十月　二十刷

●定價180元

Printed in R.O.C.

請沿此虛線剪下後，寄回本公司！

廣　告　回　信
北區郵政管理局登記 證北臺字6300號
免　貼　郵　資

台北市南京東路4段50號6F之1

方智出版社　收

姓名：

地址：

方智叢書讀者服務卡

謝謝您購買這本書！
為了提供更好的服務，請您詳細填寫本卡各欄，免貼郵票，寄回給我們，您將成為本社出版之友，不定期收到各項最新出版消息，並享受我們提供的各項優待。

我☐已是「方智出版之友」，編號：______________
☐新申請加入方智出版之友

姓名：____________ 性別：______ 年齡：______

地址：______________________________

職業：☐軍 ☐公 ☐教 ☐工商 ☐學生 ☐其他

購買書名：______________________________

購買書店：______________________________

購買媒介：☐ ____________ 雜誌廣告 ☐直接信函
☐ ____________ 報紙廣告 ☐逛書店
☐友人介紹

對方智的建議：

____
____
____
____
____
____

方智出版社
地址／台北市南京東路4段50號6F之1
電話／(02)5798800·5796600